GIKOVATE
ALÉM
DO DIVÃ

CIP-BRASIL. CATALOGAÇÃO NA PUBLICAÇÃO
SINDICATO NACIONAL DOS EDITORES DE LIVROS, RJ

G391g
Gikovate, Flávio
   Gikovate além do divã : autobiografia / Flávio Gikovate. – São Paulo : MG Ed., 2015.
   192 p.

   ISBN 978-85-7255-115-1

   1. Gikovate, Flávio. 2. Médicos - Brasil - Biografia. I. Título.

15-23569	CDD: 926.1
	CDU: 929:61

Compre em lugar de fotocopiar.
Cada real que você dá por um livro recompensa seus autores
e os convida a produzir mais sobre o tema;
incentiva seus editores a encomendar, traduzir e publicar
outras obras sobre o assunto;
e paga aos livreiros por estocar e levar até você livros
para a sua informação e o seu entretenimento.
Cada real que você dá pela fotocópia não autorizada de um livro
financia o crime
e ajuda a matar a produção intelectual de seu país.

GIKOVATE ALÉM DO DIVÃ

Autobiografia

Flávio Gikovate

MG EDITORES

GIKOVATE ALÉM DO DIVÃ
Autobiografia
Copyright © 2015 by Flávio Gikovate
Direitos desta edição reservados por Summus Editorial

Editora executiva: **Soraia Bini Cury**
Assistente editorial: **Michelle Neris**
Capa: **Alberto Mateus**
Projeto gráfico e diagramação: **Crayon Editorial**
Impressão: **Sumago Gráfica Editorial**

MG Editores
Departamento editorial
Rua Itapicuru, 613 – 7º andar
05006-000 – São Paulo – SP
Fone: (11) 3872-3322
Fax: (11) 3872-7476
http://www.mgeditores.com.br
e-mail: mg@mgeditores.com.br

Atendimento ao consumidor
Summus Editorial
Fone: (11) 3865-9890

Vendas por atacado
Fone: (11) 3873-8638
Fax: (11) 3872-7476
e-mail: vendas@summus.com.br

Impresso no Brasil

INTRODUÇÃO *11*

1 • DO NASCIMENTO À UNIVERSIDADE *21*
2 • 1967-1975: O INÍCIO DA PROFISSÃO *41*
3 • 1976-1985: OS ANOS MAIS CRIATIVOS *61*
4 • 1986-2004: APRIMORAMENTOS *106*
5 • 2005-2015: A MATURIDADE *131*
6 • ALGUMAS PROJEÇÕES PARA O FUTURO *163*

EPÍLOGO *181*

A maior parte da trajetória aqui descrita foi elaborada em coautoria.

À Céci, parceira querida desde 1976.

Devo muito a muita gente. Em especial, aos meus clientes, que sempre foram os que mais me ensinaram. Gostaria de registrar um agradecimento especial aos que contribuíram de maneira inestimável para a escrita final deste texto, evitando que eu cometesse equívocos relevantes. Agradeço a Maria Célia de Abreu, psicóloga e amiga querida, por suas excelentes sugestões; a Mariza Tavares, diretora de jornalismo da CBN, sempre disposta a ler minhas obras e fazer observações fundamentais; a Soraia Bini Cury, editora cuidadosa e competente; a Ana Paula Alencar, que me acompanha há anos, assim como a Amanda Morris, cujas versões dos meus textos para o inglês têm me encantado, além de Rosane Augusta de Druzina, leitora atenta e rigorosa, e Isaac Azar, sempre disposto a me estimular a novas empreitadas.

introdução

Toda autobiografia é romanceada, e não poderia ser de outra forma. Estou com mais de 70 anos de idade, tenho quase 50 anos de formado e muitos dos fatos mais relevantes do percurso da minha vida aconteceram há várias décadas. Por melhor que seja a memória de uma pessoa, os registros nem sempre são fiéis. Além disso, cada vez que evocamos um acontecimento que nos marcou o fazemos de uma forma diferente; tudo dependerá do estado de alma que nos envolve no momento em que nos lembramos de algo e das razões que nos levaram a fazê-lo. Como ter certeza absoluta de que os fatos, alguns bem antigos, deram-se exatamente como recordamos no presente? Impossível.

Ao escrever este livro, meu propósito não é de natureza pessoal; não se trata de narrar detalhes da minha vida íntima, a não ser aqueles que possam ter interferido no desenvolvimento das minhas ideias acerca da condição humana. Trata-se, antes e acima de tudo, de mostrar de que forma alguns aspectos da minha história e do meu modo de ser e de pensar interferiram na forma como venho exercendo o meu ofício de médico e psicoterapeuta. Além disso, objetivo evidenciar as conexões entre os fatos que observei e as ideias que desenvolvi ao longo de todas essas décadas. Creio que nossa história pessoal influencia sobremaneira a maneira como pensamos e as conclusões a que chegamos – e isso acontece de forma muito mais sistemática do que alguns teóricos gostariam. Em essência, somos expostos a fatos e elaboramos interpretações pessoais. Assim, penso que Nietzsche estava coberto de razão ao afirmar que conseguimos ir muito pouco além da nossa biografia.

A vida íntima de cada um de nós é composta de um conglomerado de vivências, a maioria delas banal e semelhante às de tantas outras pessoas que crescem no mesmo contexto sociocultural. Porém, algumas dessas experiências são peculiares e, se não únicas, pouco frequentes. Ao lado de certas propriedades inatas, elas definirão nossa forma característica de pensar e agir. Assim, como descreverei melhor no Capítulo 1, o fato de minha mãe ser portadora de uma doença psiquiátrica bastante grave e, ao menos na época, de difícil controle foi uma variável importante para meu encaminhamento profissional. Da mesma forma, o fato de meu pai ser um médico e intelectual respeitado certamente contribuiu para que eu decidisse estudar Medicina. Isso aconteceu, entre outras razões, por eu não ter nascido com nenhuma vocação muito específica. Quanto menos definidos os dons inatos, mais nossas escolhas tendem a depender das circunstâncias.

Nasci nos últimos anos da Segunda Guerra Mundial, mais precisamente em 11 de janeiro de 1943. Passei a infância em um ambiente em que a influência desse trágico episódio da história recente ainda era bem perceptível. Acompanhei os avanços tecnológicos que começaram a surgir nos anos 1950 e não pararam de se multiplicar a uma velocidade crescente. Formei-me e passei a clinicar mais ou menos na mesma época em que se iniciou a comercialização da pílula anticoncepcional. A revolução nos costumes, oficialmente iniciada em 1968, não parou mais. Foi-me possível acompanhar um período de mudanças drásticas na forma de viver e de pensar das pessoas, o que me coloca em uma condição privilegiada por meio da qual posso observar peculiaridades da psicologia humana antes inacessíveis.

Esse é um aspecto bem claro para mim: usando a inteligência, o homem produz novas ideias, quase sempre inspiradas nos fatos já existentes; estas se transformam na matriz geradora de novos produtos – novos fatos. Estes, por sua vez, alteram, quase sempre de forma radical, o ambiente em que nós, humanos, vivemos e ao qual sempre temos de nos adaptar. Assim, cada vez que novos fatos relevantes acontecem, as pessoas ficam diante de uma circunstância que as obriga a modificar-se e, ao fazê-lo, elas mostram facetas antes invisíveis. Em síntese, novas ideias que derivam dos fatos existentes são o embrião de novos fatos que gerarão novas ideias – e assim sucessivamente. O ambiente em que vivemos modifica-se de forma contínua e precisamos nos adequar a ele, o que implica mudanças em nós. Somos, mais do que se costuma supor, dependentes das peculiaridades da época em que vivemos. E mais: tudo que pensamos, todas as nossas firmes convicções, têm prazo de validade: caducarão, sendo substituídas por novas ideias que derivarão dos fatos novos.

Se é verdade que algumas de nossas características têm origem biológica, outra parte, igualmente relevante, depende das condições objetivas em que crescemos, da língua que aprendemos, dos pais que tivemos, do progresso tecnológico de que somos testemunhas ao longo da vida. Como subestimar o impacto da internet e de outros avanços na forma de pensar – e até de sentir – das futuras gerações? Impossível supor que os que estão nascendo agora terão os mesmos conflitos e dilemas da minha geração, ainda portadora de muitas das propriedades psíquicas descritas por Freud e seus colegas – as mudanças passaram a ocorrer numa velocidade muito maior a partir da segunda metade do século passado. Assim, penso ser pouco prudente pensarmos em tendências universais e definitivas, sobretudo a respeito daquelas propriedades humanas mais dependentes do contexto sociocultural do que supunham os primeiros psicanalistas.

Um exemplo é suficiente para esclarecer o assunto e mostrar a necessidade de reescrever as propriedades psicológicas das pessoas a cada época. Freud falava em "inveja do pênis" como uma propriedade universal das mulheres, tidas por ele como inferiores (aliás, penso que boa parte de suas teorias foi elaborada levando em conta essencialmente os homens e seus interesses) e sempre incomodadas com os privilégios inatos da condição masculina; isso estava em franca concordância com a visão falocêntrica que vigorava na época. As décadas se passaram e o que vemos hoje? As mulheres são maioria nas universidades e ocupam cada vez mais espaço num mundo tradicionalmente dominado pelos homens. De que forma falar em "inveja do pênis" como algo universal e irreversível? Do meu ponto de vista, essa nunca foi uma verdade absoluta, sendo fato que inúmeras mulheres invejavam a condição masculina, mas não todas. O mesmo vale para a atualidade: há meninas – e depois mulheres – felizes com seu gênero e outras frustradas e inconformadas.

Nos anos 1979 e 1980, dediquei-me a descrever e tentar entender a inveja que muitos homens passaram a sentir explicitamente das mulheres pelo fato de elas lhes despertarem um desejo percebido como não correspondido. Hoje, observo que essa inveja masculina está em franco declínio, pois, desde o "ficar", os rapazes de 13--14 anos têm tido acesso a moças de mesma idade e classe social, independentemente de também serem desejados – fato inusitado e relevante. Nem a inveja do pênis nem a inveja masculina diante do exibicionismo crescente das mulheres resistiram ao tempo! É temerário, mas no final deste livro registrarei minhas previsões acerca do que poderá acontecer com a sexualidade e seus dilemas nas próximas décadas.

Cada um de nós nasce com propriedades físicas e psíquicas específicas, algumas de caráter positivo e outras negativas. Assim, nasci com péssima motricidade, o que me vedava várias opções profissionais que exigissem certa destreza manual. Por outro lado, sempre tive facilidade de organizar os pensamentos e elaborar uma sequência lógica e clara tanto ao falar como por escrito. Em parte por gosto, em parte por incompetência, não sou dado a malabarismos estéticos nem na fala nem na elaboração de textos. Acabei preferindo utilizar sempre uma forma direta, mais voltada para a transmissão rigorosa do conteúdo do que para a elegância e a boa forma. Desde moço adorava – e ainda adoro – buscar explicações mais gerais, abrangentes; porém, sempre partindo dos fatos que observo. Nunca fui um teórico, um apaixonado pelas bibliotecas. Desconfio das ideias que derivam de outras ideias e geram mais e mais ideias que se distanciam cada vez mais dos fatos. Podem ser belas, mas as chances de estarem apartadas por completo da realidade tornam-nas, a meu ver, pouco úteis; além disso, a chance de que surjam concepções equivocadas aumenta de forma exponencial.

As circunstâncias especiais da minha história de vida, aliadas às minhas dificuldades e facilidades inatas, conduziram-me a um ofício no qual me dei bem justamente por poder exercer o gosto pelas generalizações. Sempre trabalhei muito e atendi um enorme número de pacientes, e todas as conclusões que registrei estavam em sintonia com os fatos que eu observava no consultório e no mundo. Além disso, minha personalidade foi moldada pela vontade de cuidar das pessoas, de ajudá-las – foi o que fiz, desde muito cedo, com minha mãe.

Acabei me tornando um menino, moço e adulto generoso e bastante empático, atento aos anseios dos outros e ao que acontecia na subjetividade deles. Isso – que hoje não considero uma qualidade – por certo me ajudou a desenvolver as aptidões profissionais necessárias a alguém que, como um "hacker", precisa entender o que se passa na mente daquele que está à sua frente.

Acompanhei a história de vida de quase 10 mil pacientes; tive a oportunidade de conhecer o destino de um bom número deles, posto que voltaram a me ver depois de décadas. Em vários aspectos, minha vida pessoal também sofreu o impacto dos acontecimentos que marcaram minha geração, de modo que vivenciei muitos dos dilemas e contratempos que observei no cotidiano dos meus pacientes. Vivi as dores próprias daqueles que tiveram de abandonar o vício do cigarro, de quem foi gordo desde criança e depois conseguiu emagrecer definitivamente, dos que passaram pela paixão, por amores fracassados... Experimentei momentos tristes e difíceis na profissão; em certos períodos fui malvisto em função de pontos de vista divergentes daqueles aceitos pela maioria dos meus colegas. Mas nunca me faltaram alegrias imensas, tanto no plano da vida sentimental como profissional: o respeito daqueles que me conhecem pessoalmente sempre me confortou. Não me aborreço com as diferenças de opinião nem com as divergências acerca de como interpretar dado fato. Fiquei, por vezes, indignado com a maledicência gratuita, mas hoje, felizmente, ela acontece em doses bem menores, e não creio que ainda viesse a me aborrecer.

As histórias de vida são a resultante de uma série de elementos constitutivos, muitos dos quais não aparecem de forma clara e consciente no momento em que os vivenciamos. Assim, por vezes sentimo-nos governados pela mera fatalidade. A análise posterior dos fatos, porém, mostra que estávamos regidos por determinados vetores que direcionavam nossas decisões de modo sutil e poderoso. Isso acontece com frequência nas escolhas sentimentais: parece que fomos tomados por flechadas do Cupido, mas a análise cuidadosa mostra-nos que aquela era a parceria adequada e ansiada naquele momento da vida. Muitas dessas escolhas têm, como nossas ideias e convicções, prazo de validade, mostrando-se equivocadas no futuro. Mas não o foram: fizeram parte do nosso projeto de vida possível, daquilo que estávamos em condições de experimentar naquele momento.

Entre erros e acertos, acho que consegui extrair uma cota significativa de conhecimentos das minhas vivências e também das observadas em meus pacientes. Considero-as fatos e acredito que as ideias e teorias que desenvolvi estão em sintonia com eles. Caso venham a me mostrar que os conceitos que elaborei estão equivocados, não titubearei em renunciar às ideias. Os fatos são e têm de ser soberanos. Infelizmente, porém, muitos de nós acabam tão encantados com determinadas ideias que, mesmo quando os fatos não as confirmam, renunciam a eles! E mais: com base em determinadas ideias fundamentais, deduzem outras que pretendem explicar e esclarecer inúmeros outros dilemas existenciais – a coerência interna de uma teoria costuma se tornar tão fascinante que leva o aprendiz a aderir a ela com todo o vigor de sua mente. Essas chamadas "grandes narrativas" podem ser emocionantes, mas não têm nada que ver com o pensamento científico, aquele que exige comprovação pela experiência concreta e cujas ideias estão em constante questionamento, podendo ser substituídas por outras mais abrangentes a qualquer instante.

O que me move a escrever este livro é a vontade de mostrar como os fatos que observei na clínica – além do permanente trabalho de introspecção e autoconhecimento e de ter conhecido os aspectos mais relevantes da obra de teóricos significativos – permitiram-me sistematizar minhas reflexões na forma de conceitos e princípios, revisados ao longo dos anos. Assim, para aqueles que quiserem entender a essência da minha produção intelectual, esta obra oferece um testemunho da sequência de fontes que me foram mais importantes.

Gikovate além do divã

1 DO NASCIMENTO À UNIVERSIDADE

Sou filho único de uma família de judeus que migrou para o Brasil após a Primeira Guerra Mundial. Meu pai veio da Polônia em 1919 e minha mãe da Romênia alguns anos depois. Ele tinha 11 anos e sempre foi muito determinado, além de ser dotado de uma inteligência privilegiada. Aprendeu rapidamente a nova língua e frequentou o Colégio Pedro II, no Rio de Janeiro – à época uma escola estadual de grande prestígio. Pulou várias séries em virtude de sua competência e em 1932, aos 24 anos, formou-se médico pela Universidade do Brasil, localizada naqueles belos prédios que se estendem ao longo da avenida que leva à Praia Vermelha. Minha mãe também estudou por aqui e ambos falavam perfeitamente o português. Eles se conheceram no fim da década de 1930 e se casaram quando meu pai já estava estabelecido em São Paulo, cidade onde nasci.

A dedicação e a atenção do meu pai sempre se alternaram entre a medicina e a política, tendo ele militado em todos os partidos de esquerda que por aqui existiram. Preso em 1935, durante a Intentona Comunista, foi solto em 1937 e passou a lecionar Biologia na capital paulista, até que no início dos anos 1940 voltou a se dedicar mais intensamente à medicina. Jamais se afastou da política, que ele considerava sua verdadeira vocação. Foi um dos fundadores do Partido Socialista Brasileiro, do qual foi, por décadas, importante dirigente.

Dos primeiros cinco ou seis anos da minha vida só tenho lembranças boas, afora uma vivência um tanto assustadora em um colégio no qual fui matriculado por insistência do meu pai e em função de suas convicções políticas. Só resisti por um semestre! Nasci muito medroso, e tanto os colegas quanto a professora severa faziam-me sofrer, sobretudo na hora da "leitura em voz alta" – para não correr o risco de punições, eu decorava em casa tudo que teria de ler. Felizmente, o bom senso prevaleceu e meus pais me transferiram para outra escola, particular, perto da residência provisória para onde nos mudamos enquanto estava sendo construída aquela que seria a primeira casa própria da família, num bairro melhor e em franca expansão.

Nossa casa, durante minha infância, era frequentada por intelectuais de todas as linhagens, em especial jovens membros do PSB, além de alguns dos mais ilustres médicos da época – sobretudo aqueles poucos que, também judeus, conseguiram se distinguir num meio em que persistia o preconceito contra os imigrantes recentes (judeus e árabes, em particular). O modo de vida das pessoas daquela época era muito diferente do atual. Na minha casa não havia televisão, embora ela já existisse. Meu pai não demonstrou o menor interesse por essa novidade e comprou, para deleite de todos, um enorme aparelho de alta fidelidade que tocava os recém-lançados discos de vinil em 33 rotações. As pessoas se frequentavam, passavam horas conversando. Praticamente não saíam para comer fora, a não ser em certos domingos. Aliás, o número de restaurantes da cidade era ínfimo; as refeições eram feitas em casa.

À minha casa, sobretudo nos fins de semana, vinham os amigos para bater papo e tomar café – sim, porque naquele grupo praticamente não se ingeria álcool. Eu, garoto curioso, tentava acompanhar todas as conversas e, é claro, entendia como podia. Faço esse registro para mostrar como o modo de vida daquela época, ao menos em São Paulo, ainda era semelhante ao da Viena do início do século em que Freud viveu, trabalhou e produziu sua obra genial. A maior diferença talvez se devesse ao fato de o rádio já ser um instrumento muito utilizado e a vitrola permitir às pessoas ouvir música sem a necessidade de alguém saber tocar um instrumento. Ao menos no círculo de relações do meu pai, os maiores entretenimentos eram a leitura e as conversas sobre assuntos sérios – no caso dele, basicamente os políticos.

Não herdei nada da vocação política do meu pai. Talvez a principal lição que tirei de tudo que presenciei tenha sido uma grande aversão ao dogmatismo. Seus amigos e colegas que ainda eram membros do PCB passaram a não mais cumprimentá-lo quando ele abandonou o partido em função das atrocidades cometidas por Stálin na Rússia. Julgavam tratar-se de calúnias, que acreditar naquilo significava trair a causa. Meu pai se esforçava para ser uma pessoa tolerante, de mente aberta. Vez por outra, era traído pelos traços típicos de sua geração, não totalmente extintos na atualidade, condição que levava os homens mais cultos a acreditar um pouco mais do que deveriam nas próprias ideias. Um exemplo era a forma irônica com que sempre se referia a pessoas com alguma convicção religiosa (ele se tornou ateu ao longo do curso de Medicina). Em política e em certos assuntos ligados às ciências biológicas, também tinha o costume de rotular de "besteira" todos os pontos de vista divergentes, inclusive muitos dos que eu considerava interessantes. Gostava de falar mais do que de ouvir, de modo que me adaptei a isso e tornei-me um ouvinte, um discípulo – não só para me dar bem com ele como para usufruir do seu saber. Ele dizia que não gostava tanto de clinicar; sentia mais prazer em ensinar. Foi um professor brilhante e seus alunos na Faculdade de Medicina da Santa Casa o escolheram como homenageado e paraninfo por diversas vezes.

As lembranças de minha mãe são menos marcantes. Ela foi carinhosa, cuidadosa e também disciplinadora ao longo dos primeiros anos da minha vida. Depois, por volta dos meus 5 ou 6 anos, manifestou sintomas psicóticos severos, de modo que vim a conhecer um sanatório psiquiátrico aos 7 anos. Ela desenvolveu um quadro de esquizofrenia paranoide que se tornou crônico; foram curtos os períodos em que, graças ao uso dos medicamentos que existiam, ela esteve sob controle. Os recursos terapêuticos eram limitados à época e o quadro delirante – quase sempre derivado de alucinações auditivas – era praticamente contínuo. Lembro-me dela com os olhos fixos no além, confabulando com os pensamentos – nos quais ela era um líder político muito importante e, por força disso, perseguida. Sei hoje que a doença esquizofrênica é complexa e provavelmente contém ingredientes próprios da biologia cerebral. Porém, notava o fato de o conteúdo delirante dela se referir em boa parte à posição do meu pai, por quem ela devia nutrir sentimentos de inveja e raiva. Poucas vezes vi os dois namorando, de mãos dadas. Poucas vezes me senti em paz, vivendo num clima de concórdia. Estava sempre alerta, com medo de que algo mais grave viesse a acontecer. O medo, sempre ele, foi meu maior companheiro durante os anos que se seguiram à primeira internação de minha mãe. Como já disse, tenho certeza de que a doença dela interferiu na minha escolha profissional. O mecanismo se chama contrafóbico: tentar entender ao máximo aquilo que provoca o grande medo para, assim, tentar livrar-se dos riscos de desenvolver o mesmo tipo de patologia.

Eu tinha pavor de que ladrões invadissem minha casa durante a noite. Mais tarde, na adolescência, tive medo de voar de avião e fiquei cerca de 15 anos sem entrar em um deles. Esse medo não foi gratuito, mas o fruto tardio de uma experiência traumática dos meus 5 anos de idade – quando uma família vizinha, também judia, viajou para o recém-criado Estado de Israel e o avião em que estavam caiu entre Roma e Tel Aviv.

Como minha mãe, comecei a engordar por volta dos 7 anos e tive vários problemas sociais em função disso – e numa época em que estar acima do peso era menos comum que hoje. Nunca fui um ótimo esportista, mas gostava de futebol e conseguia me fazer respeitado no meio dos meninos, apesar da minha pouca competência para brigar. Só fui objeto de ironia e deboche por causa do peso; ganhei vários apelidos depreciativos que muito me incomodavam, mas não impediam que eu continuasse a comer como que para aliviar algum tipo de ansiedade. Apesar de delicado e medroso, nunca fui objeto de *bullying* mais severo; fico contente ao constatar isso, apesar de não saber explicar o que, no meu comportamento, impediu que eu me tornasse mais uma vítima desse tipo de grosseria – cuja importância só agora virou tema de reflexão por parte de educadores, pais e psicólogos.

Fui um menino quieto, introspectivo e de poucos e bons amigos íntimos. Convivia socialmente com os grupos de moleques da vizinhança e participava das brincadeiras tradicionais de então. Porém, conversas íntimas eu só tinha com um único amigo dos 7 aos 14 anos, com dois durante o ensino médio e com dois ou três durante a faculdade. Continuo assim até hoje: conheço muita gente, convivo bem com todos, perdi o pouco de inibição social que carregava, mas continuo próximo de um ou dois amigos queridos e avesso à vida social ativa, sobretudo a fundada em eventos como festas de aniversário e casamentos. Acho que teria desenvolvido mais gosto pelo convívio social se ainda prevalecessem os padrões da minha infância, quando as pessoas se encontravam para conversar sobre assuntos relevantes e de interesse comum. Porém, não lamento, uma vez que os poucos amigos que tive sempre foram da melhor qualidade; os afastamentos, que fatalmente aconteceram, deveram-se a circunstâncias da vida e nunca a deslealdades ou traições de nenhuma das partes.

Lembro-me pouco da minha adolescência, mas sei que não foi um período glorioso. Eu era gordinho, tímido, desajeitado com as meninas e morria de medo de ser inconveniente ou invasivo. Além de não fazer sucesso com elas, eu em nada contribuía para melhorar a situação em que me encontrava, pois achava que abordá-las com certa firmeza e dando claras demonstrações de interesse – especialmente erótico – seria entendido como grosseria. Só muito mais tarde vim a entender que algumas moças gostam de se sentir desejadas, se envaidecem e inclusive se excitam com isso. Na minha ingenuidade a respeito do assunto, eu temia ofendê-las! Desse ponto de vista, faltaram-me as referências ligadas ao convívio íntimo com parentes do gênero feminino. A única prima com a qual eu tinha mais contato era bem mais velha do que eu. Além disso, naquele tempo, os meninos não tinham amigas: eram membros de um "clube" do qual só participavam outros meninos. Assim, o entendimento das diferenças entre os gêneros era precaríssimo. E, no meu caso, a ignorância era total.

Minha vida social durante a adolescência também foi prejudicada pela doença da minha mãe e pelo fato de meu pai passar a maior parte do tempo fora de casa. Os amigos dele já não nos frequentavam, pois ele, como eu, evitava trazer para o convívio íntimo as pessoas que perceberiam o precário estado psíquico em que minha mãe se encontrava. Eu tinha vergonha dos meus amigos e só os mais íntimos sabiam da verdadeira situação. Ainda assim, evitava trazê-los para casa temendo que minha mãe fizesse algum tipo de escândalo na presença deles. Creio que isso tenha contribuído para aumentar minha dificuldade de socializar.

De todo modo, os acontecimentos da adolescência foram poucos e tradicionais, como a iniciação sexual – feita com uma prostituta do cais do porto de Santos durante as férias de verão que, todo ano, passávamos no nosso apartamento no Guarujá. Meu primo e eu nos aventuramos e, certa tarde, conseguimos finalmente ousar e ter sucesso no "exame" de admissão à condição de adolescente viril, cabendo registrar que as exigências eram bastante adversas. Na praia, eu me abstinha de tirar a camiseta, sempre envergonhado da minha gordura. Isso também conspirava para minha timidez, condição na qual minhas buscas eróticas eram essencialmente voltadas para prostitutas ou moças de posição social inferior. Naquela época, não era raro que os moços tentassem seduzir as empregadas da casa; também agi dessa forma em algumas ocasiões. Tive poucas namoradas e, aos 17 anos, comecei a namorar aquela que viria a ser minha primeira esposa. Casei-me muito cedo, antes mesmo de terminar a faculdade, e as chances de sucesso numa empreitada assim precipitada não poderiam deixar de ser pequenas. Enfim, eu não tinha outras alternativas, dado que o ambiente familiar era péssimo e minha competência para a vida social e para a paquera, menor ainda.

Hoje, é claro para mim que minha infância terminou aos 7 anos. Depois disso, consegui manter-me razoavelmente bem graças às boas amizades, à compulsão alimentar que atenuava a ansiedade e a alguns bons momentos passados com meu pai, a quem eu admirava muito. Sempre quis ser objeto da admiração dele; sempre me empenhei em estar à altura de suas expectativas, de ouvir de sua boca que ele estava satisfeito com o filho que tinha. A bem da verdade, isso jamais aconteceu; talvez por sinais indiretos eu tenha entendido que era essa a fala dele para terceiros, mas nunca diretamente para mim. Esse é um tipo de mágoa que quase todos os filhos homens, sobretudo os mais bem-dotados, guardam do pai – rival inevitável (Freud) que disputa primeiro o mesmo objeto do amor e depois os mesmos espaços sociais. Também me é claro que tive uma adolescência nada interessante, mesmo que comparada com a dos rapazes da época – que viveram essa fase com menos intensidade em comparação com os jovens de hoje.

Flávio Gikovate

Em 1960, aos 17 anos, depois de cursar o terceiro ano do ensino médio e fazer alguns meses de cursinho pré-vestibular, fui aprovado com ótima colocação no exame de seleção da Faculdade de Medicina da Universidade de São Paulo. Por pura prepotência, só prestei exame para essa que era tida como a melhor faculdade de Medicina da América do Sul. Todos os meus colegas prestavam vestibular também para as outras – poucas – faculdades existentes em São Paulo. Não sei dizer a razão dessa minha atitude, mas penso que era uma mistura de arrogância com o enorme desejo de calar a boca do meu pai – que certa noite, alguns meses antes, entrara no meu quarto dizendo: "Não estude tanto... você não vai entrar mesmo". Naquele momento, pensei: "Vou mostrar a esse desgraçado quem sou". Mais tarde, em conversa sobre o assunto, ele disse ter agido assim a fim de me estimular. Disse-lhe também que aquilo poderia ter-me feito muito mal, mas ele respondeu que conhecia bem o próprio filho – talvez num dos poucos momentos elogiosos dele, ainda que de forma indireta e necessária para se defender. Fui aprovado também no vestibular para o recém-instalado curso de Psicologia da USP. A intenção era ser médico, mas cito o vestibular de Psicologia porque já tinha clara a especialidade que seguiria: ia ser psiquiatra.

A escolha da profissão e da especialidade parece-me óbvia: pensei que meu pai gostaria de ter um filho médico, fato que hoje me enche de dúvidas; e precisava entender ao máximo a mente humana para me livrar dos riscos da doença mental grave que assolou minha mãe. Apesar de já decidido a respeito da especialidade, fiz o curso de Medicina dentro da média dos meus colegas, não negligenciando demais as outras matérias nem as cadeiras básicas. Formei-me razoavelmente bem preparado para a atividade médica básica e, é claro, fui esquecendo quase tudo que aprendi – só se guarda aquilo que se usa cotidianamente. Porém, sobrou a ideia geral. Certa vez, em uma palestra que fui fazer para os pais de alunos de uma escola de ensino médio, a diretora, que me apresentava, definiu cultura como "aquilo que sobra dentro de nós depois que esquecemos tudo que aprendemos". Posso afirmar que tenho boa "cultura" médica no sentido que ela deu a essa palavra.

Nós que estudamos na faculdade de Medicina naqueles anos da década de 1960 tínhamos muito orgulho da instituição e dos professores, alguns dos quais celebridades (no sentido antigo, ou seja, portadores de aptidões e méritos excepcionais) internacionais. Nesse período, começaram a ser feitas as primeiras cirurgias cardíacas em todo o mundo, e o professor Zerbini era uma dessas figuras de destaque. Esse é apenas um exemplo da atmosfera que reinava entre nós, em que o exercício da profissão era visto como algo particularmente digno e admirável. Naquele tempo, os grandes médicos não se orgulhavam do dinheiro que ganhavam; queriam ser admirados por seus pares e, acima de tudo, ver suas salas de espera cheias de pacientes. É curioso lembrar que naqueles anos não existia pronto atendimento privado em São Paulo: os médicos, mesmo os mais famosos, eram visitados sem hora marcada em função da necessidade dos pacientes. Quando estes não podiam ir ao consultório, os médicos que se locomoviam até suas casas, sempre dispostos a levar conforto, segurança e alguma ajuda concreta.

Não foram poucas as noites em que eu, ainda criança, acompanhei meu pai nas visitas domiciliares a seus pacientes mais sofridos. Nunca ouvi nenhum tipo de queixa por parte dele em virtude desse tipo de contratempo. Era algo que fazia parte da profissão; tratava-se de uma atividade sacrificada, na qual a maior recompensa era o reconhecimento da competência para o exercício da profissão. Não estou dizendo que os médicos de antigamente não tinham vaidade. Ao contrário, eram extremamente orgulhosos de seus feitos e de sua habilidade para fazer diagnósticos complexos apesar dos limitados recursos disponíveis na época. Porém, a vaidade não se manifestava na forma de exibição de riqueza, daquilo que se consumia. Eles tinham orgulho do que produziam e não do que consumiam.

Os anos da faculdade foram interessantes e produtivos para mim. Meus dois amigos mais íntimos, Arthur Garrido e Alfredo Halpern, gostavam de ironizar meu gosto por elaborar "teorias" com base nos livros que líamos (Huxley, Fromm, Orwell...) e nos filmes a que assistíamos (Fellini, Bergman, Buñuel...). Eu seguia minha inclinação, qual seja, a de tirar conclusões, as mais genéricas possíveis, partindo de experiências intelectuais vividas ou indiretas, por meio do contato com obras que me tocavam e me convenciam da sua veracidade. É como se eu buscasse, desde sempre, decifrar o conteúdo das entrelinhas de tudo que se passava à minha frente. As entrelinhas sempre fizeram parte da minha história de vida. Meu pai, quando lia as notícias sobre política no jornal, tratava de decodificar o que elas efetivamente diziam ou deixavam subentendido. Com ele, aprendi a desvendar os mistérios escondidos por trás e para além do que estava escrito. Quando acompanhava as conversas – mais monólogos do que diálogos – de minha mãe, eu procurava entender o que estava oculto em suas palavras, posto que muitas vezes ela se referia a fatos políticos sobre os quais delirava de forma enigmática; ela era doente, mas bastante inteligente e sutil na elaboração dos seus delírios.

Por vezes, ao recuperar essas memórias acerca das minhas "teorias", imagino que eu tenha sido uma companhia cansativa e penosa para esses colegas de quem eu gostava tanto. Porém, a verdade é que eles também se divertiam um pouco comigo, que virava objeto de um tipo de chacota carinhosa e delicada. Depois de uns tempos, nosso convívio se ampliou e se estendeu para além das fronteiras da faculdade. Convivíamos principalmente em casais, passando fins de semana no Guarujá ou no sítio da família do Arthur. Arthur e eu estávamos namorando mais seriamente, e a presença do Alfredo era mais esporádica porque suas relações afetivas eram menos sistemáticas. Nossas namoradas nos acompanhavam e com elas mantínhamos relações sexuais – o que ainda não era regra entre os jovens da época, pois estamos falando de um período anterior à comercialização da pílula anticoncepcional. Muitas dessas lembranças correspondem ao que de melhor acontecera em minha vida até então.

Passávamos os dias na faculdade. Frequentávamos com regularidade a Atlética, espécie de clube privado pertencente ao centro acadêmico e localizado nas costas do Hospital das Clínicas. No fim do expediente, nos mudávamos para o Riviera, bar localizado na esquina da Consolação com a Paulista e ponto de encontro de estudantes e intelectuais. Lá se discutia política, sobretudo os acontecimentos nacionais da época: a renúncia de Jânio Quadros, as tentativas frustradas de golpe e o bem--sucedido golpe militar de 1964. Reafirmo que meu entusiasmo pela política sempre foi pequeno, de modo que acompanhei respeitosamente a posição dos colegas mais interessados e esclarecidos. A única lembrança que guardo desse tema é, como já disse, a aversão ao dogmatismo de alguns dos "amigos" do meu pai e de certos colegas trotskistas que viviam fazendo proselitismo nas assembleias de estudantes. Afora os assuntos políticos, adorava frequentar o Riviera e lá encontrar aquela atmosfera um tanto extravagante, própria de pessoas que buscavam algo mais que aquilo que lhes era oferecido pelos usos, costumes e crenças da época. Ali já se podiam antever alguns prenúncios daquilo que viria a ganhar força global em 1968.

A partir do segundo ano da faculdade, comecei minha experiência psicanalítica como paciente. Submeti-me à psicanálise tradicional, como era praticada entre nós conforme os ditames da Sociedade Brasileira de Psicanálise, na época fortemente influenciada pela escola inglesa. Por vários anos, frequentei o consultório do psicanalista três vezes por semana. Lembro-me muito pouco do conteúdo desse trabalho. Sei apenas que me submeti outra vez a uma terapia psicanalítica mais de uma década mais tarde, e de ambos os profissionais ouvi frases idênticas. Confesso que não me empolguei com a experiência e não sei dizer se obtive algum benefício. Eu não apreciava os rituais: deitar no divã, falar sem poder olhar o rosto do interlocutor, não dar a mão na entrada nem na saída, receber tratamento formal, sendo chamado de senhor mesmo tendo menos de 20 anos de idade... Só não fiquei decepcionado demais com a especialidade que escolhera porque outros fatos relevantes aconteceram ao mesmo tempo no que diz respeito às minhas aspirações profissionais.

Foi nessa mesma época que passei a frequentar, como estagiário, as reuniões clínicas do Sanatório Bela Vista, hospital psiquiátrico dos mais conceituados, que ficava no bairro do Itaim e hoje não existe mais. Sempre que podia, saía da faculdade e passava horas lá conversando com os médicos, acompanhando as consultas e o modo como encaminhavam as conversas com os pacientes. Aprendi muito com todos eles; guardo lembranças agradáveis e também um tanto difíceis, nos casos em que os pacientes manifestavam distúrbios similares aos da minha mãe. Perturbavam-me mais ainda os violentos e difíceis de ser controlados. Eles me provocavam medo e outras emoções até hoje difíceis de definir. É como se a irracionalidade de alguns internos me deixasse, além de apavorado, perplexo, descompensado e sem ação. Ao longo dos anos, foi ficando cada vez mais claro para mim que meu maior interesse estava mesmo focado nos assuntos relacionados com a nossa condição existencial, com os problemas típicos das pessoas comuns, "normais". Se é fato que a psiquiatria faz fronteira, de um lado, com a neurologia e, de outro, com as ciências humanas e a filosofia, eu ficaria mais próximo desta última.

Por volta do quarto ano da faculdade, durante os cursos regulares de Psiquiatria, passei a frequentar o Instituto de Psiquiatria da faculdade. Lá me aproximei do professor Clovis Martins, que dirigia a biblioteca da clínica e editava o *Boletim da Clínica Psiquiátrica*, embrião do que pretendia vir a ser uma publicação científica. Acolhendo-me muito carinhosamente, ele dava-me diversas tarefas – fiz minhas primeiras produções "científicas", escrevendo resumos de artigos publicados em outras revistas. Eu gostava de escrever, tanto que, desde os primeiros tempos da faculdade, colaborei esporadicamente para o jornal semanal *Shopping News*, dirigido por um velho amigo do meu pai. Saí-me bem nesse tipo de escrita jornalística e isso contribuiu para outras atividades posteriores que exerci ao longo de décadas.

A convite do dr. Clovis, que também dirigia o serviço de psiquiatria do Hospital do Servidor Público do Estado de São Paulo, frequentei inúmeras reuniões clínicas bem interessantes, das quais guardo lembranças ótimas. Lembro-me também de observá-lo, em seu consultório, fazendo entrevistas de caráter psicoterápico de forma bem diversa da que eu conhecia como paciente nas sessões psicanalíticas que insistia em manter. Foi ele que, voltando de uma viagem aos Estados Unidos, emprestou-me o livro de Masters e Johnson, casal de pesquisadores que realizavam as primeiras experiências "ao vivo" com casais tendo experiências sexuais, a fim de detectar os mecanismos fisiológicos capazes de desencadear as respostas ejaculatória e orgástica. A obra – *Conduta sexual humana* – chegou a minhas mãos em 1966, bem antes de sua divulgação entre nós. Desnecessário dizer quanto esse trabalho me impactou, sendo fato que minha atividade terapêutica voltou-se para esse assunto. Nos anos 1990, ao fazer uma palestra sobre o amor no Instituto de Psiquiatria, tive o prazer de encontrar o dr. Clovis na plateia. Pude então expressar, em público, meu apreço e meus agradecimentos pelo carinho e pela consideração que ele me dedicou ao longo da minha formação.

Outra experiência marcante, sempre durante o curso de Medicina – de cujas aulas eu não era frequentador assíduo, pois também dava aulas particulares de Física a vestibulandos e cheguei a lecionar em um cursinho pré-vestibular –, foi ter podido acompanhar como observador as sessões de psicoterapia psicanalítica de grupo conduzidas pelo dr. Bernardo Blay Neto, psicanalista de primeira linha e introdutor, em nosso meio, dessa técnica. Seu consultório ficava localizado, como o de quase todos os médicos de maior destaque, no centro da cidade. Seu carro ficava estacionado perto da Santa Casa e ele fazia, todos os dias, uma caminhada de cerca de 1,5 quilômetro. Eu o acompanhava e aprendia muito sobre a forma como sua mente unia tudo que ouvia no intuito de transformar suas percepções em um conjunto de interpretações que servissem a todos os dez membros do grupo. Sua destreza profissional e seu modo intuitivo de pensar legaram-me marcas importantes, muitas das quais tentei incorporar ao meu modo de atuar. O mesmo aconteceu com as poucas entrevistas que tive com o dr. Isaias Melsohn, amigo do meu pai e um dos proprietários da Clínica Granja Julieta, onde também trabalhei por uns tempos. Com ele conversei sobre minha mãe, posto que algumas de suas internações deram-se em seu hospital. Seu modo de olhar e sua delicadeza ao não se portar de forma crítica também são marcas que absorvi.

Meu pai, que depois do golpe de 1964 voltara-se mais para a medicina, passava as manhãs na Santa Casa. Frequentávamos, eu e alguns dos meus colegas mais chegados, o ambulatório da Enfermaria do Tórax, onde ele mostrava a seus alunos e a nós sua destreza e competência diagnóstica. Essas experiências impressionaram-me sobremaneira e deram-me uma dimensão mais clara do que era a medicina praticada com saber, humanismo e intuição. Ao meu pai devo ainda o fato de ele ter me presenteado com um livro, recém-lançado em espanhol, chamado *Terapêutica psicanalítica*, escrito por Franz Alexander e Thomas French. Foi a primeira vez que tive contato com o que eles denominavam *psicoterapia breve* – tipo de ação terapêutica mais prática e objetiva que propunha o direcionamento das consultas para a resolução de um sintoma específico. Franz Alexander, psicanalista alemão entre os muitos que migraram para os Estados Unidos antes da Segunda Guerra, foi um legítimo representante desse momento peculiar da psiquiatria e da psicologia, no qual os profissionais europeus mais eruditos e bem formados se chocaram com o pragmatismo norte-americano. Acho que esse encontro foi de fundamental importância, pois deu uma dimensão mais operacional a teorias sofisticadas mas nem sempre eficientes. A propósito, foi também meu pai que me presenteou com as obras completas de Freud. Em três volumes impressos em papel-bíblia, vinham em espanhol, pois à época seus livros ainda não haviam sido integralmente traduzidos para o português.

Durante o sexto ano da faculdade, período conhecido como internato, dediquei-me por completo à medicina, abandonando todas as minhas atividades extracurriculares. Fui tão aplicado quanto meus colegas que seguiriam outras especialidades. Sofri e também aprendi muito nos plantões de pronto-socorro do Hospital das Clínicas, no trabalho exaustivo nas suas diversas enfermarias. Graduei-me em 1966, numa cerimônia pública pomposa ocorrida no Theatro Municipal de São Paulo. Naquele tempo, tornar-se médico era um feito e todos estávamos muito orgulhosos. É bom registrar que o orgulho se associava imediatamente a uma noção de dever, de responsabilidade social. Era mais que uma simples profissão. Era, em certo sentido, um sacerdócio. Era.

2 dois 1967-1975: O INÍCIO DA PROFISSÃO

Antes mesmo de me formar, eu disse a meus pais que abriria um consultório particular. Meu pai e seus paradoxos: de um lado, comprou-me um pequeno e adorável consultório num centro médico situado na rua Maranhão, em Higienópolis (nesse tempo, os médicos com certa posição começaram a migrar do centro da cidade para os bons bairros), talvez o primeiro prédio de São Paulo exclusivo para profissionais da saúde; de outro, afirmou que eu não ia ter clientes. Ao mesmo tempo que falava contra os meus propósitos, pediu a todos os seus colegas e amigos que me encaminhassem pacientes. Esse era o personagem paterno: ambíguo, mesclando carinho e talvez desconforto por me proporcionar facilidades que ele jamais teve. Sua infância difícil, bem como o início da vida no Brasil, não impediu que ele se tornasse um médico bem-sucedido e deveras respeitado. Meu pai agiu da mesma forma quando, aos 17 anos, me deu um carro de presente, fato que facilitava sobremaneira minha locomoção numa São Paulo ainda provinciana e pouco populosa. Ele só tivera acesso ao primeiro carro aos 40 anos de idade.

 Iniciei a residência em Psiquiatria e, nos horários livres, ficava sentado no consultório à espera de clientes.

O primeiro que tive me foi mandado pelo ascensorista do prédio, talvez penalizado por eu estar sempre "às moscas". Certa vez, fui seduzido por um vendedor de enciclopédias, que chegou dizendo: "Como pode um médico assim moço e já tão bem posicionado?" Minha vaidade ficou de tal maneira incensada que nem sequer ouvi o resto da história e assinei os papéis que originaram uma longa série de prestações mensais de valor não desprezível para minha condição da época. Em seguida vieram os clientes que tinham convênio médico e seguro-saúde empresarial, novidade absoluta à época. Os médicos bem estabelecidos não tinham interesse em atender aos convênios, pois a remuneração era baixa. É bom dizer que eu estava empenhado em me estabelecer na profissão e em me tornar financeiramente independente – eu estava casado, tinha filhos, e meu pai ainda ajudava no sustento da minha família. O fato é que faltavam médicos em São Paulo. Meu registro no CRM é 12.442; o Estado necessitava de mais ou menos 20 mil médicos.

A residência em Psiquiatria incluía uma estada de três meses no departamento de Neurologia e mais um trimestre no de Endocrinologia. Cumpri esse programa à risca, ficando no HC todas as manhãs e dando os plantões de enfermaria e pronto-socorro correspondentes. No segundo semestre, migrei para o departamento de Psiquiatria – e então começaram os meus problemas. Afora o dr. Clovis Martins a quem já me referi, todos os outros personagens me causavam desgosto ou medo –

alguns pareciam até ameaçadores. As estratégias terapêuticas eram antiquadas e assisti a procedimentos lamentáveis, que prefiro não descrever. Não se fazia uma menção sequer aos tratamentos psicoterápicos. As enfermidades eram objeto de tratamentos farmacológicos – com os quais eu me familiarizara ao longo dos estágios – ou envolviam todo tipo de choque. Definitivamente não consegui permanecer lá por mais de um ano. Aliás, esse era um procedimento comum entre os colegas formados antes de mim e dedicados à especialidade: quase todos deixaram o departamento e foram cuidar da vida. Eu fiz o mesmo.

Hoje, pensando nesse momento da carreira, vejo que agi com bom senso. Eu não estava preparado para a prática clínica, pois era jovem e inexperiente. Porém, se ficasse mais um ano naquele hospital que, aos meus olhos, era tenebroso, teria perdido tempo. É claro que as coisas mudaram e a instituição hoje abriga ótimos profissionais, mas não era esse o contexto em 1967. As propostas do departamento de Psiquiatria eram de caráter dogmático, ou seja, implicavam a renúncia total a qualquer tipo de reflexão psicanalítica e a adesão incondicional às terapias de choque e aos limitados recursos da farmacoterapia. Eu tinha intenções, talvez por influência do meu pai e de muitos dos seus colegas, de continuar na universidade e lá fazer carreira. Mas logo percebi que isso seria muito difícil.

A outra alternativa era me inscrever nos cursos da Sociedade Brasileira de Psicanálise, terminá-los e depois me submeter à chamada análise didática – processo em que o candidato se "purificaria" de suas neuroses, tornando-se mais bem preparado para lidar com as dificuldades dos pacientes. Isso, é claro, além de aprender a trabalhar tomando como referência o modo de agir do seu psicanalista. Ou seja, um processo de doutrinação em que os sucessores repetem o que aprenderam de seus antecessores, que por sua vez aprenderam dos primeiros psicanalistas – alguns deles analisados por profissionais vindos da Inglaterra. Também não podia me ver como objeto desse tipo de "lavagem cerebral" – e confesso que não mudei de ponto de vista.

Assim, avesso a dogmatismos desde a adolescência, não me enquadrei em nenhuma das duas únicas alternativas existentes: uma organicista e outra que negligenciava a biologia e privilegiava sobretudo as primeiras vivências familiares. Eu lera vários livros de Erich Fromm, que enfatizava a importância dos fatores culturais em nossa formação. Nenhum dos dois grupos levava esse autor a sério, mas eu sim. Não tendo com quem aprender e sendo um tanto ousado – medroso para algumas coisas, mas temerário para as que se relacionavam com as atividades mentais –, decidi ficar só com o consultório que, no fim do primeiro ano de formado, já era frequentado por um número significativo de pacientes vindos das empresas atendidas pela Amesp, seguradora da qual eu era credenciado. A eles se somaram, poucos anos depois, a Ford e as Linhas Corrente, duas empresas enormes com serviços médicos próprios que funcionavam da mesma forma: os médicos de dentro da companhia encaminhavam aos especialistas – que atendiam em consultório – os pacientes que julgavam requerer atendimento mais acurado. Quem me levou para esses dois convênios, então já mais bem remunerados, foi o dr. Zarco Caramelli, cardiologista colega do meu pai e também professor na Santa Casa. Por coincidência, ele abriu um consultório no mesmo prédio que eu. Esse italiano de Florença, cuja idade era intermediária entre a minha e a do meu pai, tornou-se um grande amigo. Trocamos confidências, ficamos íntimos e, em algum momento de 1972, mudamos nossos consultórios da rua Maranhão para uma linda casa na rua Ceará, também em Higienópolis, onde dividíamos o espaço e as despesas.

Menos de dois anos depois de formado, eu já trabalhava em tempo integral e com a "casa cheia". O sucesso na clínica me animava e me dava forças para continuar na rota de um "livre atirador", desvinculado de qualquer grupo, formatando minha maneira de trabalhar e de avaliar os quadros psicológicos dos inúmeros pacientes que eu atendia. Aprendi a me valer dos psicotrópicos mais comuns com destreza, a fazer diagnóstico de depressão e a usar os medicamentos adequadamente. Ao mesmo tempo, utilizava cada vez melhor as técnicas breves de psicoterapia dinâmica. Adorava frequentar as bibliotecas, onde me familiarizava com as publicações recentes, muitas delas já tratando de técnicas chamadas comportamentais – derivadas mais das teorias dos reflexos condicionados de Pavlov do que da psicanálise de Freud. À época, alguns profissionais associavam ambas as técnicas, coisa que eu não sabia fazer. Eu sabia associar – e sempre o fiz – psicoterapia e medicação. Décadas depois ouvi, num congresso em Munique, um ilustre colega falar da associação entre farmacoterapia e psicoterapia praticada pelo mesmo profissional como algo inusitado. Eu, meio ignorante, fazia isso havia mais de 30 anos.

Aprendi muito e sozinho por força das circunstâncias em que me formei e do contexto da psiquiatria paulista daqueles tempos. Não sei se de modo proposital ou por acaso, estudava e aprendia de forma meio incompleta, como um pássaro que ciscava alimento aqui e acolá. Não me aprofundava em nada. É como se eu quisesse preservar uma espécie de pureza, evitando me contaminar com doutrinas. Ainda nos primeiros anos de trabalho, atendi uma pedagoga; conversando com ela sobre essa minha característica (sempre falei um pouco mais livremente de mim do que reza a cartilha do bom terapeuta!), ouvi uma expressão que soou como música: a de que eu era portador de "ignorância criativa". Ou seja, cultivava deliberadamente o não saber demais para poder criar pontos de vista próprios. Não há dúvida de que foi exatamente isso que fiz, e lamento ter ficado, com o passar dos anos, um tanto limitado e escravo das ideias que eu elaborara. É uma pena, mas a ignorância criati-

Flávio Gikovate

va, quando eficaz, tem prazo de validade demarcado. Quando penso em criatividade bem-sucedida, não vejo minhas conclusões como verdades absolutas ou universais, muito menos definitivas, mas como aquelas que, anos depois, ainda são verdadeiras segundo meu sistema de pensar e de trabalhar.

Continuei trabalhando do meu jeito e com sucesso crescente. Surgiram os primeiros pacientes particulares e, apesar de moço, eu também era respeitado por eles. Alguns idosos diziam coisas como: "Que bom que o senhor é jovem, deve estar bem atualizado"; esses foram os primeiros sinais do elogio à juventude que começou a se fortalecer a partir de então. Estou pensando no complexo e turbulento ano de 1968, cujo segundo semestre se transformou em um período bem difícil no Brasil, com a intervenção policial num congresso de estudantes em Ibiúna (arredores de São Paulo) e a chegada dos movimentos *hippie* e de libertação sexual. A pílula anticoncepcional já fazia parte do cotidiano dos jovens, o que implicou uma mudança grande na atitude das moças mais bem preparadas intelectualmente – mas nem sempre preparadas do ponto de vista emocional. Foi um período difícil, em que muitos jovens se engajaram em movimentos clandestinos no intuito de combater a ditadura militar. Não foram poucas as vezes em que alguns deles questionaram minha indolência e falta de apetite por esse tipo de luta. Eu ficava sem jeito, mas prosseguia com minha vida profissional ativa; a única influência dessa época sobre meu modo de vida foi ter participado de algumas festas mais ousadas do ponto de vista erótico, que surgiam com frequência crescente ao meu redor.

Nessa época, mais voltada para a libertação sexual, acabei me envolvendo com outra mulher e, como costuma acontecer com as histórias complexas e cheias de obstáculos, a experiência amorosa terminou de modo frustrante. Essa condição me deixou bastante abalado e um tanto deprimido. Os anos que se seguiram só não foram péssimos porque eu continuava mergulhado no trabalho, tendo sucesso crescente em virtude do meu modo objetivo e breve de encaminhar as psicoterapias, muitas vezes facilitadas pelo uso de medicamentos. Eu também iniciara os primeiros passos nas estratégias comportamentais de encaminhar o trabalho psicoterapêutico, sobretudo nos casos de medos e fobias. Essas estratégias me pareciam extremamente úteis para tratar homens portadores de dificuldades sexuais que ocorriam depois de um fracasso eventual. A preocupação com o desempenho nas experiências posteriores ao fracasso era tal que, por si só, já determinava novo revés. O tema foi ganhando interesse em minha mente e os pacientes portadores dessas dificuldades começaram a se multiplicar, sempre de forma discreta e envergonhada. A propósito, em meu primeiro consultório, onde fiquei até o início de 1972, os pacientes não se encontravam: entravam em uma sala de espera à parte e saíam sem passar por ela; tudo era feito para que o cliente que saía não cruzasse com o que estava chegando. Acredito que isso ilustre a dimensão do preconceito com que as questões psicológicas eram tratadas então.

Ao longo de 1969, eu estava, como disse, bastante amargurado e insatisfeito. Além disso, ansiava por confrontar o que eu praticava com o que se pode aprender em um ambiente universitário sofisticado, sobretudo no Primeiro Mundo. Nós, brasileiros, temos um enorme sentimento de inferioridade cultural em relação aos países mais desenvolvidos – e isso era particularmente verdadeiro para mim, até certo ponto um autodidata na psicoterapia. Comecei a me organizar para passar uns tempos na Inglaterra. Na época, Londres era a cidade que todos os jovens queriam visitar, onde os Beatles moravam, onde nasceram a minissaia e tantas outras novidades. Além disso, o Instituto de Psiquiatria da Universidade de Londres era extremamente bem conceituado. Tudo conspirou para que eu fosse para lá (continuava casado e fui com toda a família). Passei o segundo semestre de 1970 convivendo nesse ambiente calmo, sério e acolhedor.

Antes disso, tentei integrar-me num ambiente universitário diferente em São Paulo. Frequentei o departamento de Psiquiatria da Faculdade de Medicina da Santa Casa, gerido pelo professor Enzo Azzi, que também dirigia o curso de Psicologia da Pontifícia Universidade Católica de São Paulo. Para ser aceito, eu deveria apresentar um artigo original passível de ser publicado em uma revista técnica conceituada. Apresentei um trabalho bastante interessante acerca das técnicas mistas, comportamentais e dinâmicas para o tratamento de um caso de impotência sexual masculina (hoje chamada disfunção erétil). O tratamento comportamental era peculiar: eu proibia o paciente de ter relações com a esposa, permitindo apenas as carícias da cintura para cima; ao mesmo tempo, realizava consultas semanais nas quais ele discutia sua relação conjugal, seus sentimentos de inferioridade e outros temas comuns às psicoterapias, sobretudo as mais breves, sem perder o foco na questão sexual. Na quarta semana, o paciente disse-me: "Doutor, desobedeci ao senhor, não resisti e acabei tendo uma relação sexual com minha esposa". Como era esse o objetivo da proibição – subtrair toda preocupação com o desempenho –, ficou claro que era aquela a causa da inibição. O trabalho que apresentei – e acabou sendo publicado em julho de 1969 na *Revista de Psicologia Normal e Patológica da PUC* – seguia por essa rota que, até hoje, vejo como bem interessante. Infelizmente o texto provocou reações complexas nos meus colegas, de modo que quando cheguei de Londres não encontrei sequer uma cadeira onde me sentar. Fui embora disposto a nunca mais tentar a vida acadêmica.

Voltando à experiência londrina, durante o primeiro semestre de 1970, correspondi-me com o reitor do Instituto de Psiquiatria de lá, pedindo para estagiar em um setor voltado para as técnicas de terapia comportamental. Disse-lhe que estaria em Londres a partir de agosto e ele sugeriu que eu o contatasse ao chegar. Assim, viajei com toda a família, nos instalamos e fui procurá-lo com "a cara e a coragem" que nem sempre me é peculiar. O reitor recebeu-me muito bem e encaminhou-me para uma entrevista com um dos docentes que estudavam as diferentes formas de terapia comportamental para os casos de fobia, o professor Isaac Marx. Apesar da dificuldade de me expressar em inglês (mesmo tendo me empenhado em adquirir controle razoável sobre essa língua), ele simpatizou comigo e me aceitou em seu grupo.

Tenho lembranças fortes e marcantes do dr. Marx, de cujo grupo participei como assistente clínico. Ele era um livre-docente ainda jovem, mas já renomado e reconhecido especialista em fobias. Aprendi muito com esse grupo, sobretudo sobre as técnicas práticas para encaminhar terapias comportamentais contra claustrofobia e fobia de metrô – comum na época, pois muitos dos adultos jovens tinham sido crianças durante a Segunda Guerra e usado o metrô como abrigo antiaéreo. Não raro, a fobia se manifesta anos ou até décadas depois da experiência traumática. Acompanhei tentativas de tratar o vício de fumar por meio da superexposição à fumaça, de tratar exibicionistas sexuais – personagens hoje em extinção – e assim por diante. As técnicas eram várias, indo das tradicionais de "dessensibilização sistemática" às do tipo "implosion" – exposição direta e radical à situação mais drástica. Os resultados não eram tão brilhantes, mas por meio das estratégias psicanalíticas também não se ia muito longe. Hoje, muitos desses tratamentos foram facilitados pelo uso de antidepressivos, não utilizados para esse fim naquela época.

O que de mais importante aprendi em Londres, nas reuniões do departamento de Psiquiatria no Maudsley Hospital, foi o respeito pelas diferenças de opinião e o fato de as divergências não implicarem ofensa pessoal. Entre nós, até hoje, diferença de opinião gera atritos, inimizades, hostilidades gratuitas de todo tipo. Voltarei ao assunto quando relembrar a época em que, pelo simples fato de ter pontos de vista heterodoxos acerca das diferenças sexuais entre homens e mulheres, fui objeto de desprezo e rejeição, inclusive de pessoas até então consideradas amigas.

É triste voltar para um país com essa mentalidade, onde os psicanalistas odiavam os "organicistas" e vice-versa; os comportamentalistas detestavam os psicanalistas e vice-versa; pessoas com pontos de vista comuns não convivem com aquelas que pensam de forma diferente. Em Londres, fiquei chocado ao observar que aqueles que discutiam com veemência durante uma reunião saíam abraçados, combinando programas para o fim de semana. A propósito, as reuniões terminavam pontualmente às 17h. Do nosso ponto de vista, os ingleses eram uns preguiçosos: trabalhavam das 9h às 10h30, paravam para um café, voltavam a trabalhar das 11h às 12h30. Almoçavam e voltavam às 13h30, parando para o

Flávio Gikovate

chá às 15h. O expediente recomeçava às 15h30 e terminava às 17h. Porém, durante o expediente, os pesquisadores não perdiam tempo nem se deixavam interromper e produziam muito, bem mais que a maioria de nós. Nesses horários ocorriam as reuniões de cada grupo dirigido por um docente, nas quais se discutia o caso dos pacientes mais problemáticos, muitos deles internados em outra instituição, o Bethlem Royal Hospital. Em certos dias da semana, na última hora e meia, aconteciam as reuniões gerais, nas quais as divergências eram mais acentuadas e as discussões, mais acaloradas. Durante o resto do tempo, todos atendiam seus pacientes, escreviam trabalhos, faziam pesquisas na biblioteca etc. Participei com atenção e prazer de todas essas atividades, na maior parte das vezes como observador e raramente ousando interferir. Aprendi muito.

Desisti, como disse acima, da vida acadêmica nas primeiras semanas depois de regressar de Londres. Voltei a dedicar-me de corpo e alma à clínica – que, para minha surpresa, rapidamente se refez apesar de eu ter ficado fora por tantos meses. No fim de 1971, eu estava em uma posição bastante confortável, atuando ao lado de quatro colegas para dar conta do volume de clientes – tanto os dos convênios como os particulares. Porém, minha incapacidade de formar uma equipe logo se manifestou, de modo que quando o Zarco me convidou para que mudássemos os consultórios para a casa da rua

Ceará fui para lá com apenas mais um colega, Ítalo Cândia, com quem trabalhei até o início dos anos 1980. Eu me dedicava à clínica por horas a fio, chegando a fazer até 80 consultas por semana, inclusive trabalhando aos sábados. Como todo médico, sentia-me orgulhoso e envaidecido por ser tão procurado mesmo sendo bem moço.

Aos 30 anos de idade, em 1973, eu já era bem-posto entre os colegas da mesma especialidade. As tristezas relacionadas com a experiência amorosa frustrada já estavam se esvaindo e eu me sentia cada vez mais enérgico e produtivo. Lembro-me de vários clientes que atendi logo depois de voltar de Londres. Uma delas, que vivenciava as dores de uma ruptura sentimental de grande intensidade, presenteou-me com um livro que me marcou muito: *A separação dos amantes*, do psicanalista austríaco Igor Caruso. O subtítulo era tenebroso: *Uma fenomenologia da morte*. Segundo o autor, o sofrimento da ruptura equivale ao de presenciar a própria morte na consciência do amado. Sendo isso muito doloroso e necessitando ser bilateral, as pessoas postergam esse "assassinato" ao máximo. A terapia dessa minha paciente foi também, ainda que de modo indireto, a minha! Aprendi e ensinei, cresci e ajudei meus pacientes a crescer. A riqueza desse tipo de relacionamento, quando praticado com dignidade e honestidade intelectual, é extraordinária.

No livro do Caruso, um dos poucos publicados sobre o amor até então – e ainda hoje são pouquíssimos os que tratam do tema com seriedade e profundidade –, a ideia central era a de que as histórias de amor em situações objetivas de interdição (tipo Romeu e Julieta) repetiam o mito edipiano original. O pensamento psicanalítico era sua base teórica e ele via a paixão como uma possibilidade adulta de reviver o mesmo dilema – ficar com a pessoa amada ou renunciar a ela em favor de quem teria mais direito a ela, ou seja, o pai na situação original ou um eventual cônjuge na situação adulta – e superar a dor ligada à ruptura sentimental inevitável que a criança tem de viver para se tornar mais independente. A explicação fazia sentido e seguia as teses em vigor, mas não me convenceu. Apenas me sobrou a impressão de que os autores psicanalíticos "forçavam" interpretações de acordo com a teoria que abraçavam; para mim, as situações adultas eram mais complexas do que a simples repetição dos dramas infantis. Afinal, por que renunciar sempre em favor de quem, na fase adulta, supostamente teria mais direito àquela relação? Um cônjuge grosseiro e desleal tem mais direito àquele parceiro do que um amante dedicado e apaixonado? A situação infantil é uma; a adulta parecia-me bem diferente.

Esse exemplo ilustra como eu "resistia" às interpretações dos psicanalistas, que sempre denominaram "resistência" toda dificuldade do paciente de receber e acatar dada interpretação! Não penso que esse seja um procedimento adequado do ponto de vista da ciência. De todo modo, ideias diferentes povoavam minha cabeça. Eu tinha mais dúvidas que certezas. Aliás, sempre fui povoado por dúvidas. Sei que boa parte das pessoas não as suporta, mas comigo acontece o contrário: adoro-as, pois elas indicam a existência de um dilema, um problema ao qual não se sabe resolver, ou seja, instigante. A dúvida é condição essencial para conhecer algo novo, e isso me atrai demais. Quem não suporta as dúvidas adora se filiar a doutrinas dogmáticas, posto que elas têm resposta pronta para tudo.

Nos primeiros anos da década de 1970, eu estava empenhado em entender todos os aspectos da nossa sexualidade, assunto que ganhava importância porque eram muitos os pacientes que me procuravam em função de dificuldades nessa área. Parecia que a felicidade das pessoas dependia da qualidade de sua vida sexual. Tentei entender melhor as diferenças entre o masculino e o feminino acompanhando os trabalhos de Masters e Johnson, que mostravam a ausência de período refratário – de desinteresse sexual depois do orgasmo – nas mulheres, diferentemente do que acontece com os homens. Talvez tenha sido a primeira vez que estudiosos da sexualidade tentaram entender as mulheres sem que elas fossem vistas como "homens castrados". Hoje, percebo que não tínhamos competência para avaliar o feminino com autonomia, tamanho o falocentrismo reinante. Mas eu fazia o que podia e, com minhas técnicas mistas de psicoterapia, conseguia bons resultados.

Flávio Gikovate

Em 1973, fui assistir a um congresso de psiquiatria no Rio de Janeiro que trataria da sexualidade humana. Confesso que não me lembro do que falaram nem de como eu encarava o tema naquela ocasião. A sexualidade era – e é – um dos temas que mais me deram trabalho; já revi minhas posições inúmeras vezes e tenho muito que aprender sobre o assunto. É curioso: de 15 anos para cá, as pessoas acham que o assunto está totalmente desvendado, mas para mim o mistério ainda é grande. Sei que voltei dessa viagem indignado com a prepotência de alguns colegas que, apesar de profundamente ignorantes a respeito do assunto, falavam como autoridades. O oportunismo pareceu-me tamanho que decidi escrever um livro sobre o tema.

A ideia de escrever sempre me atraiu, mas produzir um livro parecia-me pretensão, pois eu não me achava qualificado para a tarefa. Por outro lado, deplorava a maneira leviana como colegas – mais velhos, mas menos versados no tema – tentavam ocupar um nicho. Em 1974, eu ainda titubeava a respeito de escrever ou não um livro sobre o tema, mas conheci uma criatura a quem devo muito: Samir Meserani, personagem ímpar admirado por todos os que o conheceram. Ao contrário do que acontecia com a grande maioria das pessoas, mesmo as mais instruídas, ele nunca sentiu pudor em alardear que era meu cliente. Essa é a razão pela qual não preciso deixar de registrar que o conheci nessas condições. Em pouco tempo, tornamo-nos amigos. Professor de literatura da PUC, ele era muito otimista;

quando mencionei minha vontade de escrever sobre sexualidade humana, Samir estimulou-me de maneira extraordinária. Propôs que eu fosse escrevendo e enviando os capítulos a ele, que os leria e me daria conselhos. Assim fiz, sempre recebendo a mesma resposta: "Está ótimo, muito bom mesmo; continue no mesmo tom". Até que, no fim de 1974, terminei de escrever um livro um tanto desencontrado que tratava de peculiaridades da sexualidade masculina e feminina; abordava estratégias, heterodoxas e desconhecidas em nosso meio, que eu usava para tratar dificuldades sexuais masculinas; e trazia um capítulo especial sobre a paixão, que mais descrevia do que explicava as características desse fenômeno amoroso radical.

Hoje, tenho certeza de que o Samir não lia os capítulos – até para não correr o risco de me desestimular. Sua maior especialidade era liberar a criatividade e a ousadia de um escritor em potencial. E assim ele agiu, além de indicar-me um editor. Assim, *Dificuldades do amor* foi publicado em meados de 1975 pela Brasiliense, na época uma das editoras mais prestigiadas do país. Antes de publicar, mostrei os manuscritos a algumas pessoas, inclusive a meu pai – que o leu e disse: "Acho que você não deveria publicar este livro. Tenho certeza de que pode fazer muito melhor". E aí estava o traço perfeccionista dele, que, em virtude disso, produziu muito menos do que sua capacidade intelectual merecia. Para ser sincero, no que se refere à forma, acho que demorei 30 anos para realmente escrever bem. Ainda assim o livro, mes-

mo com todos os seus defeitos, teve boa venda, esgotou várias edições e hoje, é claro, só serve como registro da minha história.

Outro fato marcante nesse ano de 1975 foi ter assistido, em março, a um congresso de psicoterapia breve em Montreal, no Canadá. Acompanhei vídeos de terapias breves conduzidas pelos melhores profissionais da área, tanto ingleses como americanos. Os vídeos eram novidade, de modo que ver como eles efetivamente trabalhavam foi um privilégio e uma experiência de grande importância. Não pelo que aprendi, mas pela comparação que pude fazer entre o modo como eles e eu atuávamos. Concluí que eu estava no caminho certo. Senti-me diplomado como psicoterapeuta! Formei-me médico em 1967, mas me senti de fato preparado para o ofício quase dez anos depois. A sensação de segurança foi enorme. Ganhei autoconfiança e autoestima.

Continuei trabalhando da mesma forma, só que agora mais sereno e seguro. Publiquei o livro poucos meses depois. Viajamos em férias para a Europa e, na volta, deparei com uma notícia terrível: o Zarco – assim como seu filho mais velho – havia falecido em um grave acidente de carro! Fiquei muito mal, pois éramos grandes amigos e colegas. Isso abalou minhas estruturas: coloquei em dúvida todas as variáveis da minha vida, tanto no aspecto pessoal como profissional. Ainda no mês de julho, participei de uma mesa no importante congresso da Sociedade Brasileira para o Progresso da Ciência (SBPC) em Belo Horizonte, falando sobre "o amor como instrumento de repressão e violência". Deveria ter sido um evento relevante para mim, mas a verdade é que pouco me lembro dele. Eu estava em luto por um amigo querido e com pensamentos confusos a respeito da minha vida, sobretudo no aspecto conjugal.

Separei-me pouco tempo depois. Voltei a me encantar sentimentalmente de forma intensa, passional, mas dessa vez a história foi outra: casei-me com essa mulher em 1976. Ela e eu vivemos em harmonia e concórdia até hoje.

1976-1985: OS ANOS MAIS CRIATIVOS

Minha carreira como médico continuou a todo vapor e foram poucas as mudanças ao longo de todas essas décadas. Mas a vida pessoal mudou muito, e para melhor, apesar dos contratempos inerentes às separações e novas uniões. Aprendi muito com meus clientes e também com os acontecimentos que vivenciei. Todos os fatos e conclusões derivados de experiências privadas foram testados na prática clínica – e sempre atendi uma média de 200 pacientes novos por ano. Meu objetivo era o de não cometer o equívoco usual, qual seja, o de fazer generalizações indevidas partindo de minha história pessoal.

Acredito que a maior parte das minhas percepções vem se confirmando cada vez mais com o passar dos anos. A primeira e mais importante delas foi publicada em *Falando de amor*, ainda em 1976. Esse livro foi editado pela MG Editores, empresa que ajudei a fundar por me sentir um tanto frustrado com a forma como as editoras tratavam os autores e seus livros. Eu não sabia das dificuldades que o mercado editorial enfrenta e pensava que todos os problemas deviam-se à má vontade dos editores, pouco atentos à qualidade dos produtos que tinham nas mãos. Essa minha primeira iniciativa no universo dos empreendimentos, nada gratificante, durou mais de 15 anos, ocasião em que finalmente consegui vender a MG ao Grupo Editorial Summus, onde tenho sido tratado de modo extremamente respeitoso.

Nesse livro eu usava os termos "amor por diferença" e "amor por semelhança" para definir as alianças afetivas que se estabelecem entre pessoas diferentes e aquelas mais parecidas, privilegiando claramente esta última forma de ligação amorosa. A experiência me ensinava, e me ensina até hoje, que a grande maioria das alianças sentimentais se estabelece entre indivíduos bastante diferentes, tanto em caráter quanto em gostos e interesses. Essa era a aliança tida como a mais adequada, considerada por Freud (em *Uma introdução ao narcisismo*, de 1914) como a mais madura. Para ele, a união entre semelhantes era baseada na "identificação narcísica", tratada como pejorativa – aquele que escolhesse alguém parecido consigo estaria fazendo uma espécie de apologia de si próprio, isso visto como algo ruim, negativo. Porém, se avaliarmos o mesmo fato em termos de autoestima e não de vaidade, chegaremos à conclusão oposta: a escolha por afinidade é própria de quem está bem consigo mesmo!

A bem da verdade, tudo isso é teoria e um tanto irrelevante. O fato é que, no passado, as alianças conjugais eram estabelecidas no intuito de ajudar os casais a enfrentar as enormes adversidades do cotidiano: muitos filhos, doenças, dificuldade de lidar com as coisas práticas da casa, divisão de trabalho – cabendo ao homem ir em "busca do pão" e à mulher cuidar do lar e da prole. A concepção que vigorava, talvez com razão, era a de que, se marido e mulher tivessem propriedades complementares, estariam mais aptos a enfrentar as diferentes dificuldades cotidianas. Porém, ao longo da segunda metade do século XX, as condições objetivas melhoraram muito e os indivíduos passaram a buscar alianças que lhes permitissem usufruir melhor os momentos de lazer. E, para esse fim, o predomínio de afinidades é essencial. Os que defendiam as alianças complementares tinham razão e deixaram de ter. Minha proposta era, portanto, a de uma adequação à nova realidade.

Por falar em realidade, os anos que se seguiram a 1976 trouxeram importantes novidades. A fase *hippie*, caracterizada pela cultura da paz e amor e pela libertação sexual, deu lugar à dos *yuppies*, jovens ambiciosos, consumistas e dispostos a enormes sacrifícios para obter sucesso profissional rápido. Foi ficando claro que a ideia ingênua de que a maior liberdade sexual, especialmente feminina, traria a paz não se confirmaria. Ao contrário, assistimos ao acirramento da competição, da ambição, do exibicionismo erótico feminino e dos bens de consumo por parte de ambos os sexos. Devido aos enormes avanços das mulheres, que passaram a ocupar espaço crescente nas universidades e no mercado de trabalho, aumentou sobremaneira o número de divórcios. As separações foram favorecidas também pela maior competência masculina para a autossuficiência, graças ao avanço tecnológico e a importantes inovações práticas

– forno de micro-ondas, máquina de lavar louça etc. Ao lado da melhora da qualidade de vida dos solteiros, diminuiu o preconceito contra os que puderam se divorciar graças à nova legislação que, no fim dos anos 1970, passou a vigorar no Brasil.

Parecia-me tão óbvio e lógico que as alianças por afinidade eram mais adequadas ao novo momento da nossa história que eu acreditava que a alteração do padrão de escolha amorosa dar-se-ia rapidamente, mas não foi o que aconteceu. Surgiu um obstáculo absolutamente inesperado para mim: o fato de as alianças entre semelhantes serem de uma intensidade sentimental bem maior – e mais, de isso gerar uma sensação de medo enorme! Fiquei chocado ao deparar com o medo do amor. Sim, porque era tudo que as pessoas ansiavam mas, na prática, evitavam em virtude de um medo estranhíssimo aos meus olhos de então. Essas observações se misturaram com outras que eu fazia a respeito das variações de caráter entre as pessoas, sendo claro que a maior parte das alianças entre "diferentes" era entre "opostos" do ponto de vista do que passei a chamar de egoísmo e generosidade – usando os termos mais tradicionais justamente para fugir de inovações desnecessárias e para me livrar do termo "narcisismo", tão ao gosto da psicanálise.

A palavra "narcisismo" é usada com mais de um sentido: às vezes é egoísmo; em outras, amor por si mesmo, condição que não creio que exista. Também aparece como sinônimo de vaidade, manifestação autoerótica complexa da qual falarei mais adiante. Preferi voltar aos termos tradicionais: egoísmo quando a pessoa é do tipo que quer – ou precisa – receber mais do que está disposta a dar; vaidade quando nos sentimos estimulados a chamar a atenção e a atrair olhares de admiração. Apenas complementando, os generosos seriam os que gostam – ou precisam – dar mais do que recebem. É mais ou menos óbvio que, à primeira vista, egoístas e generosos teriam sido feitos uns para os outros.

Faço aqui alguns reparos quanto a essa fase. Em primeiro lugar, não pude sequer pensar em aprimorar meu estilo de escrever porque estava movido pelo desejo de publicar o mais rapidamente possível minhas novas observações. Eu temia que alguém viesse a descrevê-las antes de mim, e isso parecia insuportável para minha vaidade. A verdade é que nada disso ocorreu e minhas reflexões não sofreram concorrência. Além disso, as novas ideias jorravam em mim de modo avassalador, de forma que eu mal terminava um texto e já tinha outros em mente. Escrevi cerca de seis livros no espaço de quatro anos; eles tinham conteúdo importante, embora a qualidade literária não fizesse jus a ele. Também quero registrar que a cronologia e a veracidade absoluta dos fatos podem não ser precisas – foram tantos os temas e eles sofreram tantas alterações posteriores que eu não conseguiria descrever de modo exato em que ponto eu estava, no fim da década de 1970, no que diz respeito às questões do amor, da sexualidade e da reflexão moral. Abdico do rigor biográfico em nome de dar máxima coerência e clara descrição às conclusões a que tenho chegado. O objetivo é mostrar como essas considerações se afastaram dos pontos de vista tradicionais defendidos por meus colegas.

Por volta de 1976-77 escrevi uma série de artigos sobre sexo e amor para a revista *Capricho*. Era deveras incomum que um médico de boa formação e sólida posição fizesse esse tipo de trabalho. O elitismo das pessoas ficou claro, pois várias me olharam com certo desdém. Até meu pai, apesar de toda sua preocupação política com os direitos dos menos favorecidos, torceu o nariz para essa minha ideia esdrúxula. Adorei a experiência e nunca mais deixei de fazer algum tipo de atividade que me permitisse divulgar minhas reflexões ao grande público. Escrevi também no semanário *Aqui São Paulo*, dirigido por Samuel Wainer, pessoa interessantíssima a quem tive o prazer de conhecer bastante bem. Em outubro de 1979, fui o entrevistado da revista *Playboy*, falando sobre sexo. Na época, essa entrevista, bem extensa, teve grande repercussão. Quem me entrevistou foi o Ruy Castro, fato que certamente contribuiu para a boa qualidade do material publicado. Meu pai morreria pouco tempo depois e foi a única vez em que ele elogiou uma produção minha.

O fato é que publiquei a série da revista *Capricho* e o material foi muito bem-aceito. Tratava-se de um manual breve acerca do sexo e do amor para os jovens, escrito em linguagem acessível a eles. Fiquei então animado com a possibilidade de editar uma revista de psicologia similar à americana *Psychology Today*. Aproximei-me de um editor de revistas especializadas e fizemos uma sociedade "de boca" segundo a qual cada um teria metade dos lucros. Convidei o jornalista que me levara para a *Capricho*, o Carlos Moraes, a me ajudar na empreitada. Juntos, fizemos alguns números da revista, que, é claro, recebia colaborações de outros colegas – e esse era um dos meus intuitos, qual seja, o de criar um ambiente multidisciplinar num contexto em que reinava o dogmatismo. A revista foi um sucesso, mas descobri que sociedade não formalizada com pessoa de caráter duvidoso funciona mais ou menos assim: se der prejuízo, o sócio do bem pagará sua metade; se der lucro, o sócio do bem é excluído! Foi o que aconteceu: a revista durou mais alguns números sem minha colaboração e depois desapareceu.

Pouco tempo depois, publiquei *Você é feliz?*, cujo subtítulo era *Uma nova introdução ao narcisismo*. Eu parafraseava Freud, criticando o uso da palavra e descrevendo todas as propriedades dos mais egoístas: extroversão, pouca tolerância a frustrações e contrariedades, descontrole agressivo fácil e por motivos banais, ausência de sentimento de culpa e em geral pouca idoneidade. À época, eu achava que eles eram os grandes vilões da história, sendo os generosos suas vítimas. Tal visão, bastante equivocada por sinal, não durou muito. Assim, dois anos depois publiquei *Em busca da felicidade*, uma primeira revisão crítica do modo de ser dos mais generosos: excessivamente condescendentes, mais tolerantes a contrariedades, incapazes de dizer "não", portadores de excessivo sentimento de culpa, medo de magoar e docilidade exagerada. Em ambos vejo gradações, mas não conhecia ninguém que tivesse uma postura equilibrada, sem pender demais para um dos dois polos equivocados e equidistantes do ponto da justiça.

Um dos aspectos mais relevantes dessa minha maneira de reavaliar o egoísmo e a generosidade tem que ver com a perda de "dignidade" da própria generosidade, com a dedicação extremada em relacionamentos íntimos. A situação é bem diferente daquela caracterizada pelo altruísmo, termo que indica dedicação anônima a pessoas com as quais não se tem intimidade. No caso do altruísmo, estamos diante de uma condição que, de fato, pode contribuir sobremaneira para o desenvolvimento de outros indivíduos. Porém, a dedicação excessiva a um filho ou a um cônjuge só contribui para reforçar o egoísmo deles. Sim, porque quando um generoso tenta dar muito a outro igualmente generoso esbarra com a enorme dificuldade que esse tipo de pessoa tem de receber. Se receber fosse tão bom, os generosos não ficariam tão mal quando estão nessa posição. Tal dificuldade mostra objetivos duvidosos, tanto ligados à dominação como ao exercício da vaidade, de estar por cima. Quem dá é o rico e quem recebe é o pobre!

Outro aspecto talvez ainda mais relevante, que foi ficando claro ao longo dos anos de reflexão sobre o assunto, é o fato de os mais egoístas não serem portadores de sentimento de culpa. Isso corresponde a uma enorme ruptura com a teoria psicanalítica tradicional, pela qual todos nós teríamos um freio moral internalizado, o superego. Como penso que metade da população é mais para egoísta – sendo a outra metade mais generosa –, fica evidente que a culpa inexiste em cerca de metade dos habitantes do planeta. Não se trata de uma diferença qualquer, mas de algo que divide as pessoas em dois grandes subtipos – sendo muito importante que os que sentem culpa não tentem entender todos os outros tomando a si como referência. Esses 50% desprovidos de culpa só se comportam dentro de certos limites por medo de represálias externas ou por vergonha. Há os que não roubam por força de seus valores internos e os que não o fazem por temor de ser presos ou descobertos. E há também aqueles poucos que não sentem sequer medo ou vergonha.

As reações a essa minha forma inovadora de descrever os tipos psicológicos não foram tão favoráveis quanto eu esperava. Por vezes, fui chamado de maniqueísta, como se pudessem existir outros tipos além do que os que dão mais que recebem, os que recebem mais que dão e os que dão e recebem na mesma medida – estes últimos raríssimos. Aliás, essa foi, durante anos, uma decepção contínua. A cada novo livro eu achava ter conseguido me comunicar melhor – o que nem sempre era verdade

–, que "daquela vez" as pessoas compreenderiam meus pontos de vista e sua utilidade. Nada disso acontecia. Eu me frustrava por ser visto apenas como um divulgador de conceitos tradicionais da psicologia quando, de fato, estava introduzindo inúmeras inovações, a meu ver muito relevantes. Mas a frustração acabava por me impulsionar para a frente, pois nunca fui de me deixar abater. De modo que continuei trabalhando de forma intensiva na clínica e, sempre que possível, divulgando o trabalho por todos os meios de comunicação de massa, cada vez mais importantes para difundir o conhecimento. Por força da entrevista à *Playboy*, recebi convites para diversos programas de televisão e, em 1980, passei a assinar uma coluna semanal sobre comportamento no jornal *Folha de S. Paulo*, para o qual escrevi até 1984.

Continuei na defesa persistente de que as alianças entre pessoas parecidas eram muito mais adequadas para essa nova fase da vida em sociedade, na qual as alternativas de lazer só se multiplicavam e a vida em comum se alterava à medida que as mulheres tinham mais voz. Mas, aos poucos, introduzi em minhas colunas vários outros conceitos bem diferentes do padrão psicológico em vigor. Para mim, estava evidente que sexo e amor não eram parte do mesmo impulso, e mais uma vez eu discordava das hipóteses psicanalíticas, segundo as quais o amor é um subproduto sublimado do impulso sexual. Lembro-me de minha surpresa quando, certo dia, acordei com a clara sensação de que o sexo e o amor poderiam ser parte de fenômenos completamente distintos, não raro em oposição. Senti-me um herege. Afinal, pensar no amor como um instinto autônomo era algo inédito.

Hoje, fico perplexo pela razão inversa: o fato de, por tanto tempo, as pessoas que estudaram a alma humana não terem percebido o que me parece tão óbvio. Afinal, até mesmo nas histórias de amor intensas não era raro que os homens experimentassem inibição sexual completa. Esses mesmos homens não tinham problema de ereção com outras mulheres com as quais não tivessem um envolvimento amoroso tão intenso. O amor cada vez mais me parecia um impulso autônomo cuja origem eu desconhecia, mas aos poucos fui correlacionando às nossas primeiras experiências da vida. Seria, assim, um subproduto da experiência original relacionada com a vivência uterina e a ruptura dessa simbiose tão gratificante em decorrência do parto. É como se não nos conformássemos com a ruptura, não nos sentíssemos completos em nós mesmos e vivêssemos buscando reencontrar a "metade perdida", como aparece na fala de Aristófanes n'*O banquete* de Platão – texto que me impressionou demais.

Em minha cabeça, ficava cada vez mais claro que a mãe foi o primeiro objeto do amor de todos nós e não nutríamos por ela nenhum tipo de sentimento erótico. As outras ligações amorosas "adultas" substituem, com a mesma função de atenuar nossa sensação de desamparo e incompletude, o vínculo original. O sexo tem como primeiras manifestações a curiosidade da criança; a partir do segundo ano de vida, durante suas pesquisas acerca das peculiaridades do próprio corpo, ela percebe que o toque de certas zonas, depois chamadas erógenas, desperta um prazer inquietante. Na origem, pois, o sexo é um fenômeno pessoal, autoerótico; é inquietação, agradável, mas inquietação. O amor passou a ser visto por mim como interpessoal desde o início – não existindo, portanto, amor por si mesmo – e gerador de uma sensação de paz e serenidade. Amor é paz e sexo é inquietação. Amor é interpessoal e sexo é pessoal. Amor sana o desconforto do desamparo, enquanto sexo não é remédio para nenhum sofrimento! Ambos os fenômenos não são parte do mesmo instinto. Na prática, o amor fica associado a tudo que é belo, elevado, enquanto o sexo se alimenta de vulgaridade, palavrões. Amor é "altaria", sexo é "baixaria". A ruptura com o pensamento oficial foi, pois, extrema.

Ao rever minha história profissional e os problemas que enfrentei por minha forma de encarar temas que dizem respeito ao cotidiano de todos nós, percebo hoje com clareza que tenho encontrado maior dificuldade para ser entendido nos assuntos relativos à sexualidade. Por volta de 1980, realizei observações pessoais curiosas em alguns dos grandes *sex shops* de Nova York. Neles, existia um tipo peculiar de *strip-tease*, no qual as moças dançavam nuas num palco cercado por cubículos onde os homens se trancavam e podiam assistir às danças eróticas – e, por vezes, interagir com elas, mediante algum dinheiro extra. Eram janelas tipo guilhotina que se abriam quando se colocavam moedas na devida quantidade; as moças se aproximavam e se deixavam acariciar, desde que remuneradas. Depois de certo tempo, a guilhotina se fechava de modo abrupto. Para continuar com a programação, era necessário mais dinheiro.

A experiência foi impactante. Pouco tempo depois, assisti a *Da vida das marionetes*, de Ingmar Bergman. O filme começa com um casal entrando no consultório de um psiquiatra. Em seguida, o marido diz que vinha sentindo um enorme desejo de matar a mulher! Ao final, ele dá cabo de uma garota que fazia *strip-tease* num local idêntico a esses que vi em Nova York, e a moça assassinada tinha o mesmo nome de sua esposa. Essas duas experiências – uma vivida pessoalmente e a outra por meio da intuição genial de Bergman – mostraram-me como pode ser humilhante a condição do homem que deseja sem se sentir também desejado. Percebi com clareza a frustração e a inveja masculina por desejar sem ser correspondido. Imaginei que a situação inversa – mulheres entrando em cubículos para se masturbar olhando uma figura masculina nua se exibindo e pagando para tocá-los – era impossível. Considerei viável a hipótese de que todo machismo seria, de fato, uma manifestação invejosa dos homens em relação às mulheres, associada à tentativa de inibir – ou atenuar – seus poderes sensuais. Se não isso, ao menos impedir que elas se desenvolvessem em outras áreas, transformando-as em dependentes e incapazes de disputar com eles os espaços públicos mais essenciais.

    Escrever, no início dos anos 1980, em um jornal de enorme circulação que os homens sentem inveja das mulheres porque elas são objeto do desejo sexual era dupla heresia. Incomodava os machistas que continuavam a gostar da ideia da superioridade masculina. Incomodava mais ainda às feministas – que, de forma exaltada e por vezes pouco criteriosa, insurgiam-se contra o rótulo de "mulher objeto". É curioso, pois na época o sonho de consumo de qualquer homem era ser "objeto" do desejo das mulheres. Os bonitos e atraentes sentiam, por vezes, despertar mais desejo em homossexuais do que nas mulheres! "Objeto" é termo com duplo sentido: significa o ato de tratar a mulher como coisa e também de a mulher chamar a atenção e atrair o olhar dos homens. Eu usava a expressão no segundo sentido e elas ouviam no primeiro. Fui vítima de críticas contundentes e de hostilidade. Experimentei, na carne, os descalabros do dogmatismo.

    Minhas ideias acerca das diferenças na natureza do desejo sexual entre homens e mulheres não foram bem-aceitas, mas ao menos chamaram a atenção de pessoas que, até então, ignoravam o que eu publicava. Ganhei o título – ou o rótulo – de "machista", que perdurou por décadas. Algum tempo depois participei de um congresso sobre análise transacional e fui abordado por um colega, que disse: "Estranho que o critiquem tanto, posto que você está falando sobre as vantagens e

Flávio Gikovate

a superioridade da condição das mulheres, e não o contrário". Pensei comigo que naquela época isso não adiantava, pois a doutrina em vigor era a da igualdade; não se podia defender nem mesmo a superioridade das mulheres! Os tempos mudaram e, vários anos depois, uma dessas senhoras que mais ferozmente se insurgiram contra mim, na época também colunista da *Folha*, disse-me: "Você está bem melhor agora"; respondi: "Você também". Assim, um bom tempo depois de ela ter me esnobado publicamente, voltamos a nos tratar com respeito e consideração. É por essas e outras que hoje evito polêmicas. Sei que o tempo é o melhor juiz de todas as querelas e separa o que tem consistência do que é puro modismo. Ao pensar nisso, sempre me lembro de uma frase antológica de Platão: "Nunca deveríamos morrer pelas nossas ideias, pois elas podem não ser verdadeiras".

Nesse início da década de 1980, estando no Rio de Janeiro para uma entrevista na TV, tive um tempo livre para ir à praia. Uma moça, sem a parte de cima do biquíni, tomava sol. De repente, um rapaz se levantou e jogou nela uma grande quantidade de areia, manifestando uma hostilidade enorme desencadeada provavelmente pelo fato de ela ter lhe despertado o desejo. Foi o primeiro indício de algo que, mais tarde, tornou-se fundamental em minhas reflexões sobre a sexualidade: ao menos nos homens, o sexo não só não estava vinculado ao amor como parecia ter conexões muito fortes com a agressividade. Esse tipo de pensamento ganhou força em mim ao longo dos anos; a associação entre sexo e agressividade continua a me parecer relevante, embora esse tipo de hostilidade masculina tenha se atenuado sobremaneira a partir da década de 1990, graças ao advento do "ficar". De todo modo, a questão sexual parece-me sempre inacabada. Já escrevi vários livros sobre o tema e sempre sinto necessidade de refazê-los ou de escrever outros para complementá-los.

Uma peculiaridade das minhas observações acerca da sexualidade tem que ver com o modo como vejo a questão da vaidade. Nesse aspecto, minhas considerações também divergem do pensamento oficial da psicanálise, uma vez que não uso o termo "narcisismo" – retomo a palavra tradicional, inexistente no vocabulário psicanalítico: vaidade. Trata-se de um prazer autoerótico sem relação com o amor por si mesmo, e sim com algum tipo de erotismo que se resolve em cada um de nós. O fenômeno é pessoal, embora dependa de observadores (ainda que estes não tenham de ser alguém específico). Quando um homem se dispõe a desfilar com um carro especial, pretende chamar a atenção. O objetivo é experimentar uma excitação erótica efêmera, mas muito agradável: a de se destacar, atrair olhares, ser o centro das atenções, mesmo que por alguns segundos. É sempre bom lembrar que "vaidade" tem a mesma origem etimológica que "vão" – vazio – e não se distingue de uma bolha de sabão colorida que vira nada em pouquíssimo tempo.

Escrevi um livro sobre o tema, *Vício dos vícios*. Com ele, entendi que um estudo sobre a vaidade interessa a pouca gente; a maioria quer mesmo é usufruir desse deleite efêmero e, como regra, exigente de grandes gastos financeiros. Os prazeres eróticos ainda estão em pleno apogeu graças à recente onda de liberação. Por ora, é difícil ir contra o senso comum, que é o que tenho feito. Isso explica por que o que escrevo sobre sexualidade parece-me tão difícil de ser compreendido.

Retomo agora a questão das afinidades *versus* diferenças nas escolhas sentimentais. Esse foi o ponto de partida das minhas ideias mais radicalmente diferentes daquelas que faziam parte do pensamento psicológico oficial que vigorou ao longo do século XX e ainda é respeitado por muitos profissionais da área. Surpreende-me como algo tão simples tenha gerado tantos desdobramentos interessantes. Percebi com clareza como Freud exagerava em suas generalizações. Mesmo sendo uma criatura genial, não tinha elementos para pensar que as escolhas baseadas em afinidades eram de caráter imaturo e "narcisista". Refleti sobre os aspectos nocivos das relações complementares nas quais as pessoas se acomodam em suas limitações e perpetuam seus desequilíbrios emocionais e éticos. Comprovei que o sexo, por vezes, se integra mal em relacionamentos em que predominam a ternura e o companheirismo, e quanto isso pode interferir de forma negativa na escolha dos parceiros sentimentais. Ajudou-me ainda a descobrir que o amor de ótima qualidade provoca um medo enorme, jamais descrito e cuja origem teria de ser explicada.

A ideia de que as relações baseadas em afinidades têm mais chance de sobreviver à modernidade individualista é, para mim, cada vez mais inquestionável. O individualismo não derivou de doutrinas psicológicas, mas dos avanços tecnológicos que criaram condições favoráveis para que as pessoas pudessem se entreter individualmente com seus inúmeros equipamentos eletrônicos. Ao ficarem melhor sozinhas – e com suas máquinas –, as pessoas vêm se tornando mais exigentes na escolha dos parceiros. Em particular, buscam alianças nas quais precisem fazer menos concessões. Além disso, a condição feminina tem se alterado de forma drástica e elas, que ganham cada vez mais espaço, já não se conformam em não participar ativa e diretamente de todas as decisões familiares.

Se pensarmos bem, conviver com uma criatura muito parecida conosco é bem próximo de viver sozinho, com a vantagem de ter alguém com quem partilhar alegrias e tristezas. Por outro lado, o convívio entre pessoas de gostos e interesses muito discrepantes se torna quase inviável num mundo em que as alternativas de lazer são enormes, em que as questões práticas de sobrevivência vão sendo partilhadas em igualdade de condições entre homens e mulheres, em que o número de filhos decresce, o que aumenta o tempo livre de pais e mães, e assim por diante. O mundo muda e as pessoas têm de acompanhá-lo. Porém, o mundo muda em uma velocidade, e os homens, em outra.

O individualismo tem sido combatido, embora seja decorrência inexorável das transformações que nós, seres humanos, produzimos no ambiente. A ele se atribuem o esfacelamento da família, o afrouxamento das relações de amizade e até mesmo a facilidade com que as pessoas mudam de emprego. É como se todos os elos estivessem em liquefação e isso fosse péssimo. Não é como eu penso. Aliás, pouco interessa ter opiniões acerca do crescimento do individualismo, posto que ele é um fato e fatos não se submetem a ideias. As condições objetivas de vida permitem-nos viver bem sozinhos, o que determina uma imediata mudança no comportamento das pessoas – que passam a tolerar cada vez menos relacionamentos não gratificantes de qualquer natureza.

É como se a qualidade de vida de quem está sozinho se transformasse em nota de corte: tudo que ficar aquém dessa cota de satisfação tenderá a desaparecer; sobreviverão os vínculos, familiares, conjugais e sociais de qualidade, geradores de prazeres equivalentes ou maiores do que os que se podem usufruir estando sozinho. O individualismo pode contribuir sobremaneira para os avanços de ordem moral que tanto me interessam. Sim, porque individualismo não é sinônimo de egoísmo – os egoístas são gregários justamente porque é por meio dos elos que estabelecem que obtêm vantagens, dando pouco e recebendo mais. Não surpreende, pois, que os mais egoístas sejam criaturas simpáticas, sociáveis e até sedutoras. Essas propriedades são essenciais para que consigam alcançar seus objetivos

Se associarmos o crescente individualismo à ideia de que a vida em comum só poderá se dar entre pessoas afins, fica claro que a qualidade do relacionamento dependerá também das pessoas. Dois egoístas nem sempre se darão bem, pois ambos, mais intolerantes a contrariedades e com dificuldade de ceder, terão de evoluir emocionalmente para ser capazes de conviver sem brigas terríveis. Quanto aos generosos, para que possam conviver com seus pares, precisarão abrir mão da generosidade e terão de aprender a receber, condição nada fácil, porém extremamente evolutiva do ponto de vista emocional e moral. Nas relações baseadas em afinidades, um não pode se valer das competências do outro – o que lhe falta também não está presente no parceiro; deverão, pois, tornar-se capazes de suprir suas fraquezas e necessidades. Isso vale tanto para os mais generosos como para os mais egoístas. As relações menos evolutivas se dão entre opostos, pois cada um se acomoda no seu jeito inadequado de ser graças às competências do parceiro (que lhe faltam), e vice-versa. Além disso, o modo de ser de cada um perpetua os equívocos morais de ambos. É incrível, mas ainda existem pessoas que defendem as alianças complementares – em geral, agem assim porque não têm força para rever a própria vida. Do ponto de vista social, o discurso já se modificou, embora a prática continue a mesma. Por enquanto.

Outra variável que consolida inexoravelmente a hipótese de que as boas relações afetivas terão de se dar entre pessoas afins deriva do enorme avanço que as mulheres têm feito no plano de sua evolução emocional, sexual, profissional e financeira. Não há como imaginar a vida em comum a não ser na base de decisões compartilhadas. Isso se torna viável quando ambos têm o mesmo tipo de aspiração material, a mesma ideia acerca do modelo de família que querem construir, onde desejam morar etc. Sem falar nas óbvias e indispensáveis afinidades de caráter, pois fica difícil imaginar que, no futuro, as mulheres continuarão tolerando certos comportamentos desleais de seus parceiros.

Não vejo como as relações entre pessoas muito diferentes possam vir a se sustentar daqui para a frente. O número de divórcios só tem crescido; para mim, isso indica claramente a falência de um padrão de escolha sentimental e não o fim do casamento. Ao mesmo tempo, as pessoas têm enorme dificuldade de aderir ao que elas mesmas reconhecem como um padrão mais adequado para a escolha das parcerias e para o bom andamento da vida cotidiana. Essa foi a principal razão que me levou a refletir sobre a origem do enorme medo que quase todos os indivíduos têm dos relacionamentos amorosos mais intensos – que, como regra, acontecem entre pessoas afins.

É fato que alguns relacionamentos baseados em afinidades são tratados com certa indiferença por parte dos que deles participam, como se fossem mais medíocres por se parecerem com a amizade. Muitas dessas relações aconteciam e ainda acontecem por influência das famílias – que, em geral, estimulam as alianças entre pessoas do mesmo credo, grupo social etc. Para os que encaram o encontro de elos sentimentais tão bem encaixados como algo de valor menor, assumir o relacionamento se torna mais fácil; porém, parece que experimentam certa frustração em decorrência de não estarem vivenciando emoções intensas, comuns nas relações afetivas tumultuadas. Ou seja, muitos dos que não têm medo subestimam a relevância de seus relacionamentos, o que também pode ser outra forma de expressão do próprio medo.

Outras vezes, a diminuição do medo do encontro amoroso sereno e desprovido de conflitos deriva do fato de as afinidades estarem presentes, mas a admiração pelas propriedades do parceiro não ser tão grande. Como o amor depende muito da admiração, não basta que a criatura com a qual convivemos seja bacana e parecida conosco; ela precisa ter propriedades que nos façam ter orgulho de estar ao lado dela. As afinidades por si sós não garantem o encantamento amoroso, de modo que a efetiva falta de entusiasmo pelas peculiaridades do parceiro pode ser verdadeira. Quando isso ocorre, pode determinar o fim de uma relação que, aos olhos das outras pessoas, parecia promissora. É preciso cautela, pois é difícil fazer qualquer avaliação definitiva na fase inicial de um relacionamento, e só o tempo de convívio pode determinar a real motivação por trás dessas condições – que, felizmente, são raras.

Tentarei agora descrever como o tema do medo do amor foi avançando ao longo das minhas vivências e reflexões. A primeira sensação que experimentei quando deparei com esse medo – que descrevi pela primeira vez em *O instinto do amor* – foi de perplexidade: como ficar com medo de algo tão intensamente ansiado? Como não se regozijar diante do encontro de um parceiro que nos desperta fortes emoções e desejo imediato de nos unir a ele? Pois é, mas o fato é que quando isso acontece as pessoas quase não conseguem se alimentar, dormem o mínimo necessário para se sustentar em condições razoáveis, ficam obcecadas pelo assunto e totalmente incapazes de desempenhar à altura suas tarefas cotidianas. As dúvidas e inseguranças tomam conta do indivíduo: "Será que ele/ela me ama?", "Será que desistiu?", "Como vou suportar uma perda dessa magnitude?" etc. O primeiro pavor diante de um encantamento amoroso de tamanha grandeza é o de que ele pereça, de que o parceiro não suporte a intensidade dos seus sentimentos e desista. É claro que não consigo deixar de pensar que o medo de que isso aconteça com o parceiro se deve ao fato de a própria "vítima" do encantamento perceber em si mesma forte tendência para fugir do amor. E por que isso acontece? Por que não é assim nos envolvimentos entre pessoas diferentes, nos quais os parceiros parecem tolerar muito melhor o amor? Hoje sei propor hipóteses explicativas que me satisfazem. Mas, naqueles últimos anos da década de 1970, tudo isso me parecia obscuro e inexplicável. A psicanálise falava da existência de forças destrutivas e autodestrutivas presentes em todos nós – manifestações daquilo que, hoje, seus adeptos chamam de pulsão de morte. Porém, não existia nenhum trabalho que constatasse que a destrutividade surgiria de forma mais dramática por ocasião de um encantamento amoroso baseado em afinidades. De fato, ninguém dissera que os elos desse tipo geravam uma intensidade sentimental muito maior do que os tradicionais vínculos entre opostos. As tendências destrutivas descritas até então não estavam relacionadas com o amor e muito menos com o fato de ele ser profundo. Aliás, as histórias de paixão descritas na literatura também não diziam respeito às grandes afinidades entre os que se amavam de forma quase enlouquecida, a ponto de se tornar algo similar a um transtorno obsessivo.

É interessante registrar que a paixão era descrita como subproduto de proibições externas, como um encantamento erótico intenso, tudo sempre tratado de forma genérica. Em minhas hipóteses iniciais, a paixão consistia em um encantamento amoroso de altíssima intensidade e gerador de medo extremo. E mais, que a paixão, em geral, acontece entre pessoas afins! Minha experiência clínica era bastante rica em histórias desse tipo, de modo que elas confirmavam de modo categóricamente minha vivência pessoal.

Ao mesmo tempo, foi ficando claro para mim que nas relações entre opostos o encantamento era de natureza bem diferente: o mais generoso amava de modo mais intenso e o mais egoísta se deixava amar mais do que amava. Relacionamentos assim são ricos em conflitos e aborrecimentos, de forma que momentos gratificantes se alternam com outros de desgosto – o que atenua, e muito, o grau de satisfação e a intensidade do elo. Tudo me fazia crer que as pessoas toleravam com facilidade o vínculo sentimental até determinada intensidade; além dela, porém, tornava-se "quente demais", condição na qual tendiam a fugir. Isso me fez lembrar das expressões populares que descrevem momentos particularmente agradáveis como "bons demais" – por exemplo, quando alguém diz estar "morrendo de felicidade"! Outra vez vi-me perplexo diante dessas expressões: de onde elas se originaram? Por que lidar assim com coisas muito boas? Existiria de fato uma cota de alegria ou felicidade que nos é dado experimentar que, uma vez ultrapassada, devemos temer?

Outra hipótese que me chamara a atenção, além da do medo do amor, era a de que a existência de enormes afinidades levava a pessoa a se aproximar demais do parceiro, condição na qual sua individualidade poderia ficar ameaçada. Apesar de o ideal romântico de "fusão" ser almejado por todos, ele é apenas parte dos nossos anseios. Temos outro lado, aquele que pede individualidade, identidade própria. Entre integração e individuação balança nossa subjetividade (vide A. Koestler em seu livro *Jano*). Como a aliança entre semelhantes predispõe para a fusão em virtude do encaixe quase perfeito entre as subjetividades, a individualidade pode se sentir ameaçada e rechaçar esse tipo de envolvimento.

É claro que nas alianças entre opostos as diferenças e os desencontros jogam a favor da preservação da individualidade, o que seria, desse ponto de vista, uma boa notícia. Creio que a individualidade ameaçada interfere, ao menos em parte, no processo de resistência ao encaixe sentimental de qualidade. Não devemos desconsiderar, porém, que perder parte da individualidade para alguém parecido conosco, que se entrega da mesma forma, é algo que não deveria preocupar tanto. Repito: viver com alguém muito parecido conosco é quase o mesmo que viver sozinho.

Alguns outros fatos facilmente constatados na prática clínica fizeram-me avançar numa direção que não dizia respeito apenas ao encaixe sentimental. Assim, pessoas que cresciam na profissão não raro se tornavam hipocondríacas, como se estivessem mais propensas a doenças graves em função das boas conquistas; por vezes, surgia o medo de voar, como se, ao realizar as viagens de seus sonhos, elas ficassem mais propensas a sofrer um desastre. Outros sentiam pavor de sair com o carro novo da concessionária porque tinham a nítida impressão de que as chances de acontecer um acidente haviam aumentado, e assim por diante. Fui percebendo que as forças destrutivas descritas por Freud tornavam-se mais ativas e atuantes nos momentos mais felizes da vida das pessoas. Isso parecia um fato indiscutível, comprovado o tempo todo, em especial nas situações de felicidade sentimental. Assim, abri mão da expressão "medo do amor" e passei a chamar de "medo da felicidade" o temor que nos assola sempre que estamos muito bem. Claro que não se trata de medo do momento bom em si, mas da ideia, presente em todos nós, de que a felicidade aumenta as chances de sermos vítimas de uma tragédia.

O medo da felicidade é, pois, o medo de perder a felicidade. Trata-se de um fenômeno universal neste estágio do nosso desenvolvimento psíquico, podendo desaparecer em algum momento futuro – o que certamente será uma notícia auspiciosa. Porém, hoje, todos o carregamos – uns mais, outros menos. Alguns o enfrentam e outros o levam tão a sério que cedem a suas pressões e se acovardam. Todo pensamento supersticioso tem que ver com o medo da felicidade: quando estamos bem, fazemos rituais de proteção – batemos três vezes na madeira, fazemos figa etc. – contra a ira dos deuses ou a inveja dos humanos!

Não deveríamos temer tanto a inveja, pois ela não tem os poderes destrutivos que a ela atribuímos. Só é "perigosa" porque eles encontram eco em nossa subjetividade. Além dos pensamentos supersticiosos, o medo da felicidade nos leva a negociações curiosas com os deuses: abrimos mão de algo que valorizamos no intuito de aumentar as chances de que aconteça o que queremos. As promessas são sempre uma forma de negociação, como se a presença de algum tipo de renúncia ou sofrimento aumentasse as chances de determinadas coisas boas acontecerem. Por vezes "pagamos" adiantado pela proteção dos deuses e por vezes o fazemos *a posteriori*. Mas quase sempre um pedido vem acompanhado de negociação. Assim, não há como desconsiderar a ideia de que o medo da felicidade implica a sensação de que temos direito a dada cota de coisas boas, acima da qual os riscos de tragédia se tornam ameaçadores.

É curioso registrar que as crianças, talvez até a puberdade, não padecem dessas limitações: nunca se queixam de excesso de coisas boas. Parece que o mecanismo se estabelece de forma mais clara a partir da fase adulta, talvez por influência do que elas observam acontecer com as outras pessoas do seu convívio.

Restava o mais difícil: buscar uma hipótese para explicar a existência desse mecanismo peculiar e bastante limitador. Imagino que Freud desenvolveu a ideia da pulsão de morte como tentativa teórica de resolver muitos dos dilemas causados por nossas tendências destrutivas. Nunca fui simpático à ideia de que exista uma tendência em nós, seres vivos, na direção da morte, da serenidade do inanimado (se é que é isso que nos acontece ao morrer). Sempre achei mais fácil pensar que buscamos reencontrar algo que já vivenciamos e perdemos. Em vez de pensar na morte como a fonte dos problemas, penso na forma como fomos gerados e como nascemos; creio ser essa uma via bem interessante quando nos dispomos a entender fenômenos universais – afinal, todos percorremos o mesmo caminho até chegarmos a existir.

Ao mesmo tempo que tentava entender o medo da felicidade, estava empenhado em explicar a origem do fenômeno amoroso que eu detectara como autônomo e independente do erótico. Assim, como disse antes, busquei associar tal fenômeno à tentativa de resgatar a "simbiose" uterina perdida com o nascimento. Atribuí a este e à ruptura do elo original mãe-bebê o surgimento da sensação de incompletude que nos persegue ao longo da vida. Talvez, em virtude de o medo da felicidade ser máximo no contexto das alianças sentimentais mais intensas, como se elas fossem uma heresia que terá de ser paga com a pena de morte, eu tenha cogitado e cogite até hoje que o medo da felicidade tenha relação com o fato.

Imagino a seguinte situação: estávamos no útero, onde nada nos faltava (o paraíso). Não temos registro verbal disso, mas não é impossível que esse seja um dos nossos primeiros registros cerebrais. De lá, num *big bang*, fomos expulsos (o nascimento) e começaram todos os nossos tormentos e dores. Querendo ou não, nascer parece ter sido uma transição para pior. Penso que se estabelece algo como um reflexo condicionado, um trauma do nascimento (Reich). Como não é raro nas fobias, o medo não se estabelece de imediato, manifestando-se durante a vida adulta. Assim, sempre que estamos nos sentindo muito felizes, próximos da sensação de harmonia que experimentávamos no útero – e suspeito de que nada nos lembre mais dessa sensação que o encaixe sentimental pleno –, passamos a temer um segundo *big bang*, agora sim relacionado com a morte ou com algo destrutivo que assolará a nós ou a alguém a quem queremos bem. Em outras palavras, o medo da morte seria a projeção para essa segunda transição do pavor que experimentamos ao nascer.

É por esses caminhos que minha mente passeava naqueles anos de extrema criatividade que se iniciaram em 1976 e com frequência perturbavam minhas noites, quase sempre maldormidas. Achava que eram observações relevantes e sentia urgência em publicá-las, o que por vezes implicava pouca atenção à qualidade de redação e da revisão de vários dos livros. Em 1981, publiquei *Ser livre*, primeira versão de uma obra que hoje se chama *A liberdade possível*. Tratava-se de uma espécie de síntese de tudo que eu tinha entendido até então, ao lado de algumas considerações de natureza filosófica. Tentei associar o desamparo físico, que todos sentimos desde o nascimento e se atenua pelo vínculo amoroso com nossa mãe, a outro desamparo mais amplo, o de natureza metafísica – fomos abandonados aqui na Terra sem saber responder às perguntas mais alarmantes e fundamentais: de onde viemos, para onde vamos, qual o sentido de tudo isso, por quanto tempo estaremos aqui...

A impressão que eu tinha – e ainda tenho – é de que não cabem respostas precipitadas a tudo isso, e minha conclusão era a de que somos filhos do Mistério. Mistério com M maiúsculo, que não exclui nem confirma nenhuma hipótese religiosa, além de indicar que provavelmente jamais saberemos a resposta a tais questões. E esse enorme ponto de interrogação acerca da origem de tudo isso me pareceu deveras fascinante, pois instiga e mobiliza nosso cérebro na direção do conhecimento. Aprender a lidar com tal incerteza seria, a meu ver, imprescindível para a maturidade emocional. Além disso, a falta de certezas cria dúvidas acerca do nosso futuro, dando graça e emoção a uma vida que, se não fosse assim, seria muito parecida com a dos nossos cães.

Outra característica da nossa condição cósmica é a da insignificância; nosso valor absoluto diante do universo é próximo de zero. Tal consciência da insignificância seria um importante estimulador da nossa vaidade, esse ingrediente autoerótico – parte definitiva e irremediável da nossa sexualidade – que pede destaque e olhares de admiração – e às vezes de desejo. A vaidade humana é a causa de inúmeros desacertos, importante ingrediente na formação de estruturas sociais excessivamente desiguais nas quais todos os que podem buscam algum tipo de significância. É claro que, no seio da vida familiar, cada um de nós tem seu significado e importância, mas em geral isso não basta, sobretudo para os mais inteligentes, sempre em busca de destaque. São poucos os que, de fato, estão conciliados com sua insignificância cósmica e terrena. É provável que sejam os que vivam melhor, mais felizes e menos atormentados com essa busca incessante de destaque que leva ao consumismo desenfreado e sempre percebido como insuficiente, à busca do elixir da eterna juventude, da perfeição estética, do poder político sem finalidade social e assim por diante.

A vaidade gera inúmeros dilemas e problemas, muitos deles bem graves porque reforçam nossas desigualdades biológicas inexoráveis. Porém, não há como nos livrarmos definitivamente dela. Temos de admitir que esse tipo de erotismo existe, que a renúncia total à vaidade seria uma vaidade suprema por meio da qual pretenderíamos nos tornar santos, sobre-humanos. O melhor a fazer, do meu ponto de vista, é reconhecer sua existência e tentar domesticá-la. Isso significa não deixá-la interferir demais em nossas decisões; implica tentar não se deixar dominar por ela e sim tê-la sob controle. Talvez a humildade corresponda a essa capacidade, presente em umas tantas pessoas, de submeter a vaidade aos desígnios da razão. Na prática, sempre que precisarmos tomar uma decisão relevante, convém pensar no assunto "vaidade à parte", ou seja, como se ela não existisse. Depois de tomada a decisão, podemos deixar que ela faça parte da empreitada, agora como um agregado que pode até dar certa graça ao projeto.

Gikovate além do diva
Flávio Gikovate

Porém, não é nada conveniente tomar decisões em função do prestígio ou da popularidade que poderemos obter. É preciso que cada decisão seja mais consistente que isso. Não custa relembrar que as palavras "vaidade" e "vazio" têm a mesma origem etimológica – daí o perigo de se deixar escravizar por ela.

Por falar em vaidade e nos perigos de sua interferência em nossas decisões, nos primeiros meses de 1982 recebi um convite peculiar: trabalhar profissionalmente em um time de futebol. E não se tratava de um time qualquer: era o Corinthians, o mais popular de São Paulo e talvez uma das maiores torcidas do país. O time voltaria à primeira divisão do campeonato paulista no segundo semestre e eu tinha algumas semanas para decidir se aceitava a oferta ou não. Não era tarefa que um profissional da minha condição costumava aceitar, com a honradíssima exceção de Paulo Gaudêncio, terapeuta ilustre e corintiano fanático que fizera tentativa de trabalho igual. Eu tinha, havia muitos anos, uma das mais expressivas clínicas privadas do país, estava indo bem com meus artigos na *Folha de S.Paulo* – sobretudo quando não tratava de assuntos relativos a sexo – e fazia uma participação fixa duas vezes por semana em um programa vespertino da TV Cultura de São Paulo. Se aceitasse o convite do Corinthians, teria de acompanhar a equipe técnica e o time ao longo da semana de forma irregular e estar com eles nos fins de semana, quando aconteciam as viagens e concentrações, condição que me permitiria algum tipo de atuação. A ideia nunca foi abandonar a clínica; aliás, isso nunca me ocorreu: por mais exigentes que fossem os outros compromissos, a clínica esteve sempre em primeiro lugar.

Em julho de 1982, parti com minha esposa de férias para a Europa, e precisava dar uma resposta na volta. Na ocasião, eu procurava não deixar minha vaidade participar da disputa interna que se travava em mim – aliás, é bom que se diga que eu não era sequer torcedor do Corinthians. Fazer parte da equipe técnica, como psicoterapeuta, de um time de futebol implicava um nível de exposição muito maior do que aquele ao qual eu estava habituado. Estávamos em Roma quando, por ocasião da Copa do Mundo da Espanha, o Brasil, na época franco favorito ao título porque tinha um time composto por craques excepcionais, perdeu para a Itália num jogo que acompanhei "escondido" no quarto do hotel. As comemorações foram histriônicas e eu, entristecido, me perguntava: como um time desses perde um jogo que deveria ser fácil? Lembrei-me do medo da felicidade e, por essa razão, decidi aceitar o desafio. Em agosto do mesmo ano eu viajava com o time pela primeira vez. Durante 15 dias, passando por Los Angeles e pelo Caribe, iniciei uma espécie de introdução a um período interessantíssimo da minha vida. Estava prestes a participar de uma aventura peculiar que foi chamada de "Democracia Corintiana" em homenagem às lutas pelo retorno à democracia que tomava fôlego em nosso país.

Não vem ao caso discutir os detalhes dessa participação difícil e cheia de obstáculos, posto que os que trabalhavam com o esporte no Brasil não aceitavam – e ainda não aceitam – a colaboração de profissionais de psicologia. Consideram-se suficientemente competentes para fazer sozinhos o papel de psicoterapeutas, e muitos deles são mesmo bem hábeis. Aprendi muito sobre os problemas do esporte competitivo em nível máximo, como é o caso do futebol profissional; sobre o peso de uma camisa famosa para um jovem jogador vindo de um clube pequeno do interior; sobre o impacto da imprensa, que praticamente os persegue; e sobre a habilidade dos jogadores para evitar encrencas nocivas ao bom ambiente do grupo. Isso, ao menos, em aparência. Nos bastidores, é claro que existem tensões, lutas por liderança e destaque – tanto entre os jogadores como entre os dirigentes. Foi um período difícil, mas não me arrependo. Acho que dei minha contribuição e recebi algumas recompensas, ou seja, o respeito e a consideração dos colegas que trabalhavam no clube, de alguns jornalistas e conselheiros que se tornaram meus amigos e de determinados jogadores, sobretudo Juninho, Vladimir e Sócrates – este último um esportista e ser humano ímpar.

Creio que minha maior contribuição foi dada às vésperas da final do campeonato paulista de 1982. O jogo era contra o São Paulo, e é claro que os times que disputam finais se equivalem. Nas palavras que dirigi ao grupo antes da disputa, falei do medo da felicidade, deixando claro que venceria a competição quem tivesse menos medo de ser feliz. Também lhes expliquei que o medo da felicidade não fazia parte apenas da psicologia deles, padecendo os adversários de igual problema. Teria mais chance de ganhar quem tivesse mais controle sobre essa variável, e a simples consciência de sua existência já implicava grande vantagem sobre o oponente. É claro que eu já me familiarizara com outras propriedades típicas do futebol – e provavelmente da vida como um todo. Conhecia o papel da "sorte", apesar de não saber até hoje o que efetivamente está por trás dessa palavra; sabia que, em certos dias, se faz tudo certo e tudo dá errado; havia tido várias lições de humildade acompanhando os jogos de perto. Porém, aprendera também que existe muito de psicológico nesse esporte, como em todos os outros e, como regra, decorridos uns poucos minutos, é possível saber quem tem mais chance de vencer porque está consistente, seguro e comandando as operações. Ter mais chance não significa ter certeza absoluta; isso não existe no futebol nem em atividade nenhuma. Não à toa esse esporte entusiasma e comove mais da metade da população do planeta.

O Corinthians foi campeão em 1982! No ano seguinte, durante o campeonato brasileiro, que acontecia logo depois das férias, foi muito mal. Nada de estranho nisso, posto que a tendência de uma pessoa ou um grupo se desorganizar depois de uma vitória é grande. Depois da derrota no campeonato brasileiro, veio o novo campeonato paulista e "fomos" outra vez campeões. Eu estava começando a me empolgar e a me integrar um pouco mais quando, no ano seguinte – 1984 –, no meio de uma campanha igualmente medíocre no campeonato brasileiro, o diretor que me contratara perdeu a eleição e fomos todos para casa.

A vida continuava intrigante. Os movimentos feministas entravam em declínio, ao mesmo tempo que a efetiva emancipação econômica e sexual das mulheres ia de vento em popa. Os movimentos desse tipo, muitas vezes de caráter teórico, parecem caducar quando os fatos passam à sua frente. Com a crescente independência das mulheres, passei a observar aspectos novos, capazes de alterar o equilíbrio até mesmo daqueles poucos casais que já haviam ousado se unir tomando por base as afinidades. Aliás, é importante registrar que nunca simpatizei com a ideia de que o amor não devesse ser analisado e dissecado da mesma forma que se faz com todos os outros sentimentos e emoções. Não acho que mereça tratamento tão especial, nem que seja desgovernado e sem lógica. Um dos fatores inerentes ao processo de encantamento amoroso é, como já citei, a admiração (Platão). Esta pode se dar em função de variáveis duvidosas, que deveriam ser tratadas como acessórias: aparência física, sucesso financeiro, popularidade, extroversão etc. Pode acontecer também que os critérios de admiração de um indivíduo se modifiquem ao longo dos anos, determinando o fim do encantamento amoroso. Mas a admiração sempre faz parte do processo amoroso.

Voltando ao avanço das mulheres, elas começaram a perceber que, mesmo sendo independentes e modernas em alguns aspectos, ainda guardavam certas características tradicionais, entre elas a de ceder demais aos anseios dos homens – submetendo-se aos seus caprichos mais do que efetivamente pretendiam e até mesmo eram capazes de tolerar. Passaram a se entediar com os jogos de futebol e com os programas de domingo à tarde. Estavam cada vez mais em condições de dar uma espécie de "grito de independência", sobretudo no que se referia a concessões feitas no passado que no presente as oprimiam. É claro que isso encontraria certa resistência dos homens, mal-acostumados por elas mesmas a uma dócil aceitação de sua tradicional liderança.

Homens e mulheres se esforçavam para trilhar um caminho mais do tipo unissex; porém, nenhum dos dois gêneros estava preparado para isso, pois tinham nascido e iniciado sua formação antes do início da drástica revolução de costumes datada do fim dos anos 1960. É difícil adaptar-se a um mundo em rápida transformação. A verdade é que os avanços tecnológicos progrediam velozmente e todos eles favoreciam a individualidade, o que aparecia como algo um tanto estranho. É como se nossa tendência natural fosse pró-integração, pois nascemos da ruptura da mais completa delas. A verdade é que, na criança pequena, a partir do segundo ano de vida, já se observa com clareza essa disputa entre aconchego e independência: estimulada pela curiosidade, ela pula do colo da mãe e vai em busca de aventuras; procura conhecer tudo que a cerca, os cheiros, gostos, a utilidade dos objetos; se entretém e se alegra com suas peripécias, mas gosta que a mãe esteja por perto. Se esta sai do recinto, a criança larga tudo e vai atrás dela; se cai e sente dor, procura a mãe de imediato. Ou seja, quer ser independente, mas na aconchegante presença materna.

O dilema entre integração e individuação parece nunca se resolver por completo e de forma plenamente satisfatória. A história da humanidade era toda voltada para o predomínio da integração, sempre tratada como virtude: a vida em família era louvada, sendo os que não a apreciavam vistos com reservas e críticas. Até há poucas décadas, constituía a única forma de convívio aceitável. Pessoas sozinhas eram desprezadas, malvistas e objeto de todo tipo de maledicência. Ser membro de algum grupo sempre foi entendido como um sinal positivo, e ser "ovelha desgarrada" como indício de inadequação. De repente, em decorrência das mudanças no hábitat humano, clama-se por maior individualidade, independência feminina e maior capacidade de todos para ficar sozinhos durante boa parte da vida. Esse dilema começou nos anos 1980, mas persiste até hoje como um problema a ser resolvido por indivíduos, famílias e, em particular, casais.

A título de curiosidade acerca das mudanças derivadas do aumento do espaço individual, dou um exemplo relacionado com a construção das casas, importante indício das aspirações humanas, já que é dentro delas que passamos boa parte da vida. Quando eu era criança, as boas casas de classe média, com três quartos, tinham um enorme banheiro – uma "sala de banho" onde a família se encontrava em certas horas do dia, cada um fazendo suas funções, tanto as fisiológicas como as relacionadas com a higiene pessoal. As residências mais bem elaboradas já tinham um lavabo, mas ele se destinava quase exclusivamente ao uso das visitas. Hoje em dia se constroem casas e apartamentos em que o número de banheiros tende a ser igual ao número de moradores. Até na suíte dos casais, quando possível, se fazem dois banheiros. Ou seja, compartilhar espaços íntimos não é mais bem-visto. Não convém subestimar fatos desse tipo, pois eles indicam tendências culturais fortes que interferem no modo de vida de todos nós. E mais: nem sempre estamos preparados para acompanhar a velocidade das mudanças, o que pode provocar grande sofrimento.

Que pensar acerca das relações amorosas, sobretudo as de maior intensidade, nas quais a tendência à "fusão", tão ao gosto do romantismo do século XIX, é máxima? E, nos relacionamentos entre pessoas diferentes, quer por ciúme ou gosto por dominação de um dos parceiros, como lidar com o fato de que o espaço para a individualidade deverá crescer? Como aceitar que os parceiros românticos adquiram cada vez mais independência? O predomínio da individualidade sobre a fusão romântica era algo difícil de ser aceito pelas pessoas na década de 1980, embora estivesse se tornando um imperativo crescente por força das circunstâncias.

Do ponto de vista prático, abriu-se um espaço bem maior para que algumas pessoas considerassem que seria melhor viver sozinhas, ao menos por um tempo. A vida dos solteiros só melhorava, enquanto a dos casais, sobretudo aqueles que tinham muitas diferenças de gostos e interesses, tornava-se cada vez mais difícil. O número de divórcios continuava a crescer e os segundos casamentos esbarravam com obstáculos inesperados, em especial os derivados do convívio com os filhos das primeiras uniões. Diversos casais se distanciavam nos fins de semana por força do convívio complicado com os filhos. Muitos viveram tensões insuportáveis e se separaram de novo. Inúmeras pessoas passaram a achar que a estrutura familiar não sobreviveria, que o individualismo cresceria de forma irremediável, impedindo o convívio e a coabitação daqueles que se amavam e se davam bem. Como conviver com alguém que tem horários diferentes dos nossos, gostos nem sempre idênticos e interesses que podem, com facilidade, se tornar divergentes?

Parecia garantida a vitória da individuação sobre a tendência à integração, o que implicava uma mudança absoluta e radical na forma como as pessoas haviam vivido até então. Como sempre acontece, a parte "perdedora" continua viva dentro de nós, de modo que os anseios de aconchego, o desejo da maioria das pessoas de encontrar elos estáveis e constantes com dado parceiro sentimental continuaram vivos e pedindo espaço. Porém, nossas duas vertentes acomodaram-se em um ponto diverso do que vigorara até então. A verdade é que o predomínio da integração exigia uma liderança, alguém que tivesse a primazia para decidir em casos de divergência de opiniões. Isso estava cada vez mais difícil, pois as mulheres questionavam, com razão, a liderança masculina tradicional, que nem sempre implicava competência para a função. Outro exemplo prático pode esclarecer o assunto: quando se dançava colado, época em que reinavam os ritmos tradicionais que antecederam ao rock, um conduzia – o homem – e o outro acompanhava. Aliás, é curioso registrar que a mulher era tida como virtuosa caso adivinhasse para onde caminharia a dança e assim facilitasse o trabalho do condutor. A mulher "leve" era muito admirada, pois isso era sinal de feminilidade, de boa aceitação da condição feminina, de alguém que não contestaria a liderança masculina.

Hoje penso nesses dilemas típicos das últimas décadas do século XX com certa clareza, mas devo dizer que foi um período conturbado para quase todos nós que não sabíamos muito bem como nos posicionar. Escrevi, em 1984, uma série de artigos para uma revista de distribuição limitada sobre os dilemas amorosos próprios da época, em especial sobre a dificuldade de encontrar o equilíbrio entre amor e individualidade. Depois, publiquei a série em livro, intitulado *Amor nos anos 80*. É claro que não foi um título bem escolhido. Afinal, eu mesmo já dava o livro como datado. De fato, uma década depois o panorama estava bem menos obscuro acerca da questão. O amor continuaria a ter seu espaço, agora um pouco menor, enquanto a individualidade se expandiria. Os homens tenderiam a respeitar mais os pontos de vista de suas parceiras e as decisões importantes teriam de levar em conta os interesses e as opiniões de ambos.

Quanto a mim, tentava elaborar ideias a respeito dos fatos que aconteciam com as pessoas que eu acompanhava – e também comigo. Passei a questionar a crença de que somos seres incompletos em busca da "metade perdida". Mais uma vez voltei a atribuir essa sensação de incompletude aos resíduos traumáticos relacionados com o nascimento: é como se estivéssemos continuamente resistindo ao fato de termos sido expulsos do paraíso e a ele quiséssemos voltar. Os próprios sonhos românticos de muitos casais apaixonados têm essa característica: abandonar tudo e viver numa praia deserta, só os dois, sempre juntinhos. Certamente uma visão uterina do paraíso! Na prática, porém, as chances de essa opção se tornar insuportável depois de poucas semanas são muito grandes.

Fui percebendo que o amor tem um pé na imaturidade emocional coletiva, aquela que assola a todos nós. É como se resistíssemos ao ato de nascer, crescer e nos tornar adultos independentes. Estamos sempre em busca de algo que nos complete, posto que não nos conscientizamos de que a sensação de incompletude não obrigatoriamente corresponde à realidade. Podemo-nos sentir incompletos, mas somos inteiros. Somos uma unidade que resiste a aceitar essa condição e, de certa forma, cultiva, por meio da cultura, a beleza do aconchego sentimental, fazendo de conta que é algo sublime e não infantil. Era preciso dar uma resposta um pouco mais "adulta" à questão do amor, e como a dualidade entre integração e individuação estava pendendo para a segunda, pensei em avançar um pouco nesse caminho, criando uma concepção que acreditava ser interessante.

Observando os fatos, concluí que o relacionamento íntimo mais maduro que existe é o das amizades sinceras, nas quais a intimidade é enorme, a confiança recíproca é absoluta, as afinidades predominam, o respeito pelas diferenças é inquestionável e as manifestações possessivas, ciumentas e exclusivistas quase inexistem. Passei a achar que essas também deveriam ser as características principais das alianças sentimentais adequadas ao mundo real que estava se desenhando. Não subestimava a dificuldade de introduzir o elemento erótico em relacionamentos com essas propriedades, posto que mesmo nas histórias de paixão típicas, em que surge a forte tendência à fusão, as dificuldades sexuais costumam ser frequentes. Porém, sempre considerei esse tipo de problema solúvel. Pensando com mais clareza, passei a achar que as relações amorosas baseadas em afinidades tinham enorme semelhança com as boas amizades, sendo o fundamento de ambas as emoções bem parecido.

Um pouco mais tarde, passei a defender a ideia de que o amor entre pessoas afins, que aprendem a respeitar as diferenças individuais, era a solução para resolver o dilema entre nossas duas tendências antagônicas. Foi aí que comecei a achar que o amor não sucumbirá à modernidade, mas terá de se adequar a ela; e que o novo romance teria de ser diferente daquele que era visto como virtuoso até há poucas décadas. Descrevi esse novo modo de relacionamento como algo maior e melhor do que o amor romântico de fusão. Ele era mais que amor, era +amor.

1986-2004: APRIMORAMENTOS

A partir de 1986, meu ritmo de pensamentos originais parece ter diminuído um pouco. A sensação de avalanche de ideias deu lugar a uma sensação de consolidação. Minha atividade principal continuava, como sempre, sendo a clínica. Passei a fazer um número grande de palestras Brasil afora; meus livros vendiam bem, mas sempre menos do que eu gostaria. Alguns foram publicados em Buenos Aires por uma editora pequena, e aí também descobri a enorme dificuldade de ser aceito em um país estrangeiro, sobretudo na Argentina, tradicional hospedeira do pensamento psicanalítico oficial. Depois de publicar vários dos meus títulos, a editora acabou fechando as portas (não só em virtude dos meus maus resultados, é claro). Outras tentativas de alcançar o mercado internacional aconteceram anos depois, mas nenhuma delas com a repercussão similar à que encontrei por aqui, onde os meus livros já venderam, até agora, mais de um milhão de exemplares.

Na mesma época, surgiu a oportunidade de ser publicado nos Estados Unidos. Um editor americano que lera um texto meu na revista de bordo da Varig, à época bilíngue, marcou um encontro em Nova York. Porém, a experiência foi uma enorme frustração. Logo que cheguei ao hotel, recebi uma mensagem dizendo do desinteresse deles antes mesmo de me receberem e me conhecerem pessoalmente. Vaguei pela cidade por alguns dias, triste e indignado. Observando o enorme número de obesos nova-iorquinos, resolvi escrever um livro que, tinha certeza, seria um *best-seller* (uma espécie de reação parecida com a que tivera em relação ao meu pai: "Vou mostrar a eles quem eu sou"). Escrevi *Deixar de ser gordo* em decorrência de minha revolta contra o editor mal-educado e da minha perplexidade diante do fato de que todos os gordos ingeriam saladas e refrigerantes dietéticos enquanto os magros comiam sanduíches ricos em gordura. O livro foi bem-aceito comercialmente, além de ter me ajudado a consolidar o ponto de vista de que as dietas não funcionam justamente porque implicam privações, e qualquer tipo de privação tende a aumentar o desejo – de modo que depois de algum tempo aquele que está se alimentando de maneira restritiva acabará abusando de tudo aquilo de que se privou. Minha experiência pessoal – o "caso clínico" que descrevo no livro é a minha história de menino, adolescente e adulto jovem mais para gordo – mostrou, de modo claro, que o mais relevante é a mudança de hábitos alimentares e de estilo de vida, coisa que só consegui fazer por volta dos 30 anos de idade. Enquanto não se consegue isso, não adianta se sacrificar por dois ou três meses, pois se tende a ganhar todo o peso de novo – senão uns tantos quilos a mais. O livro poderia ter provocado um impacto bem maior, e penso que isso só não ocorreu porque os gordos, ao que tudo indica, gostam da ideia de que a perda de peso aconteça com sacrifício e sofrimento. Nada que seja fácil e definitivo parece interessar muito. *Deixar de ser gordo* continua vendendo bem; fiz uma boa revisão em alguns detalhes do texto, mas ele conserva os mesmos princípios de 30 anos atrás. Creio que se trate de um bom guia para quem quer se livrar, de verdade, do sobrepeso feio e nocivo à saúde.

Na mesma linha, alguns anos depois escrevi *Cigarro: um adeus possível*. O retorno comercial foi pequeno, pois quem não fuma não se interessa por ele e os que fumam não querem ouvir mais "verdades" a respeito do seu vício. É curioso, pois várias vezes recebi cumprimentos e agradecimentos vindos de pessoas que se beneficiaram da sua leitura para parar de fumar – certamente eram os que de fato estavam empenhados em abandonar o vício. Eu o escrevi pouco tempo depois de ter parado, tendo sido usuário constante e fiel por quase 35 anos. O livro – cuja história clínica que descrevo é, mais uma vez, a minha – também me ajudou a ficar total e definitivamente afastado do vício, assim como me auxiliou a entender a dimensão e a dramaticidade da "fissura" – mistura de dependência química e psicológica – que assola os dependentes das drogas que mexem mais com o sistema nervoso.

Com base nessas reflexões acerca da obesidade e do vício do cigarro, entendi melhor o papel da boca como atenuador do desamparo que sentimos desde o nascimento. Enfim compreendi uma frase que ouvira, anos antes, de um paciente que fora dependente de várias drogas: "O primeiro vício de todos nós é o da chupeta". Ela atenua a falta da mãe, verdadeira fonte de alívio para o desamparo do bebê e primeiro objeto do amor. Assim, a "fase oral" da sexualidade infantil, como é descrita por autores psicanalíticos, passou a ser vista por mim como um importantíssimo ingrediente do fenômeno amoroso, só mais tarde participando também do universo erótico.

Escrevi, para adolescentes, o livro *Drogas, opção de perdedor* (que hoje se chama *Drogas, a melhor opção é não provar*). A obra foi bem recebida por pais e educadores, mas não sei se pelos alunos, uma vez que eles eram – e acho que ainda são – obrigados a ler o que os professores propõem. Vendeu muito bem e continua ativo até hoje, assim como dois outros livros paradidáticos que escrevi ao longo desses anos: *Os sentidos da vida* e *Namoro*. São textos simples e, em princípio, menos relevantes. Apesar disso, fico feliz em tê-los produzido, pois podem ser úteis ao menos para os jovens interessados em entender um pouco melhor a natureza humana.

Em algum momento dos anos 1990, reescrevi *Namoro*, introduzindo nele – assim como em outro livro sobre sexualidade para adultos denominado *A libertação sexual* – um dos acontecimentos mais relevantes dessa época, que foi chamado de "ficar". O período foi caracterizado por grandes avanços tecnológicos, como o surgimento de tocadores de música cada vez menores e dos primeiros telefones celulares. Depois deles, o mundo definitivamente nunca mais foi o mesmo. Aliás, essa época acelerou de modo radical o consumismo: surgiu o reinado de marcas de grife, tanto de relógios, como de bolsas e sapatos femininos, além dos carros de luxo. O sonho de consumo das pessoas se acelerou de modo exponencial, bem como a competição. Tenho dúvidas acerca dos benefícios dessa corrida atrás do luxo – que depois se transformou também em corrida atrás da beleza, magreza, fama...

Quanto ao "ficar", minha opinião foi favorável desde o primeiro dia em que ouvi falar dele. O fenômeno não foi criado por nenhum profissional de psicologia; nasceu espontaneamente do cotidiano dos pré-adolescentes e adolescentes. No afã de imitar o modo de vida dos mais velhos, passaram a organizar festas do tipo "balada", com luzes estranhas e fortes, por vezes regadas a algum tipo de bebida alcoólica mais suave. Muitos dos meninos nem sequer eram púberes e certamente prefeririam comemorar o aniversário com um jogo de futebol. Porém, a moda exigia que eles organizassem as festas e convidassem também as meninas, suas colegas de classe, amigas de suas irmãs ou outras conhecidas. Isso era algo absolutamente inusitado, posto que até então os pré-adolescentes do sexo masculino faziam parte do "clube do Bolinha", onde as meninas não eram bem-vindas. Já que estavam lá e o objetivo era imitar o que faziam os mais velhos, começaram a dançar, a conversar, a se beijar e a se agarrar (sempre da cintura para cima e no espaço público, ou seja, diante dos outros convidados).

Parecia mais um modismo, algo que não duraria muito, mas aconteceu exatamente o contrário: estendeu-se como padrão de comportamento para adolescentes mais velhos e adultos jovens. O "ficar" representou um avanço extraordinário, pois criou condições favoráveis para que, pela primeira vez, meninos e meninas da mesma classe social e da mesma faixa etária trocassem carícias eróticas sem nenhum compromisso sentimental. Sim, porque o fato de terem se beijado não os tornava namorados nem implicava obrigações para o dia seguinte. Era um encontro erótico casual puro e simples, sem nenhum tipo de desdobramento – a menos que fosse desejado por ambos. Até então, os meninos de 13-14 anos se viam na terrível condição de desejar as meninas da mesma idade e perceber o desinteresse delas, sempre de olho nos rapazes mais velhos, mais populares etc. Creio, como já disse, que a frustração masculina por desejar sem contrapartida tenha sido um dos geradores do machismo – ressentimento masculino que, no passado, impôs severas represálias sociais às mulheres.

O ficar representa, do meu ponto de vista, um divisor de águas; o mundo que o antecedeu ainda marcava grandes diferenças entre o masculino e o feminino até em termos de educação das crianças. Foi o primeiro e o mais significativo sinal da definitiva igualdade entre os gêneros, posto que meninos e meninas passaram a conviver com muito mais proximidade e com acesso a um tipo de entretenimento que agradava a ambos. Penso que as meninas também se beneficiaram muito do ficar, pois descobriram que controlar sua sexualidade dentro dos limites desejados por elas não era tão difícil assim – no passado, eram educadas para temer o próprio descontrole sexual. Tudo que se refere à prática sexual foi se tornando mais simples e direto, de modo que muita gente achou que já se sabia tudo a respeito de sexo. As escolas afrouxaram o ensino de educação sexual, os pais tornaram-se cientes de que os filhos poderiam saber até mesmo mais que eles e todos passaram a falar muito pouco sobre o assunto. Os livros sobre sexo, que antes vendiam de modo assombroso, começaram a escassear e a vender cada vez menos. Para muita gente, o assunto estava encerrado porque totalmente desvendado.

Nunca me satisfiz com o que eu conseguira saber acerca do sexo. No início dos anos 1990, publiquei *Homem: o sexo frágil?* O ponto de interrogação era apenas uma concessão ao modo como ainda se pensava, ou seja, que o homem era o mais forte. Sempre vi a condição masculina como mais delicada e frágil, entre outras razões porque sua preocupação com o desempenho sexual é maior – tanto por motivos culturais como em razão da anatomia, pois os fracassos são explícitos demais. Os homens tendem a ser mais dependentes emocionalmente do que as mulheres e ficam muito pior que elas quando sozinhos – lembrando que até aquela época não sabiam sequer resolver sozinhos questões práticas relacionadas à sobrevivência. No livro, descrevo a relação do menino com sua mãe e o triângulo amoroso freudiano do ponto de vista do amor, enfatizando a ausência de desejo sexual por ela. Eu acreditava – e acredito – que o desejo corresponde a uma força desencadeada por estímulos eróticos visuais, surgindo apenas na puberdade. Passei a separar "desejo" de "excitação", mudança radical que, para a maioria das pessoas, não parece representar grande coisa. Para mim, desejo é uma palavra masculina em essência, ao passo que as mulheres se excitam sexualmente entre outras razões por se perceberem desejadas pelos homens. Atribuir ao desejo importância universal e básica parece-me uma forma masculina, machista mesmo, de pensar a sexualidade humana. Faz parte, a meu ver, da forma tradicional como os homens viam sua condição e a feminina, na qual a mulher seria "apenas" um homem mutilado. Nada disso encontra paralelo nos fatos, sobretudo naqueles que conseguimos avaliar em nossos dias.

Voltarei às questões sexuais com alguma insistência daqui para a frente, pois se trata de um dos temas em que ainda precisamos avançar para atingir um objetivo que contribua para o bem-estar e a qualidade de vida de todos nós. As ideias relativas à importância da libertação sexual tais como foram veiculadas ao longo dos anos 1960 redundaram em retumbante fracasso justamente porque se fundamentavam na concepção de que a liberação desse instinto desarmaria as pessoas, que passariam a fazer amor ao invés de guerra. Aconteceu exatamente o contrário: as tensões entre homens e mulheres cresceram e as disputas entre homens também, o mesmo acontecendo com as mulheres entre si. O consumismo só cresceu e o erotismo tem sido o grande mediador de toda a publicidade de sucesso. Cabe uma revisão geral do peso desse instinto e de suas conexões com aspectos bem menos construtivos da nossa natureza.

Ao longo desses anos, desenvolvi duas atividades públicas relevantes, sempre em paralelo com a clínica e com as publicações mais sérias que eu continuava a fazer com menor regularidade, mas ainda assim em bom ritmo. Por volta de 1986, passei a escrever para a revista feminina *Claudia*, na época a de maior circulação no país. Além disso, entre 1991 e 1992 fui âncora de um programa diário na TV Bandeirantes denominado *Canal livre*. Na *Claudia* escrevi artigos mensais muitíssimo bem-sucedidos ao longo de 13 anos – até hoje as pessoas me dizem que recortavam os artigos e guardavam, colecionando-os. Eles tratavam, como sempre, dos mesmos temas fundamentais: critérios de escolha amorosa, a participação da razão nessas escolhas e o papel da admiração nesse processo. Escrevi também sobre os encaixes entre generosos e egoístas e sobre como isso não levava a nada de evolutivo; descrevi o que acontece com a vida sexual dos casais quando o mais generoso é o homem e quando é o inverso; falei sobre as vantagens de viver sozinho com o objetivo de diminuir o ainda discreto estigma existente acerca dessa condição; deixei claro que estar só era mesmo melhor que mal acompanhado; abordei, de várias formas, o medo da felicidade e seus malefícios; falei ainda sobre o ciúme, a felicidade, os prazeres do corpo e da alma. Enfim, foram cerca de 150 artigos, alguns dos quais muito bem escritos – o que constituía uma importante novidade em minha vida.

Voltando ao livro *Homem: o sexo frágil?*, foi lá que comecei a esboçar ideias acerca de um aspecto da sexualidade que tomou corpo e relevância ao longo dos 25 anos que se passaram desde que foi escrito: as correlações estreitas entre o sexo e a agressividade. Ou seja, não só o sexo não é parte do mesmo impulso amoroso como tem fortes compromissos com tudo que é agressivo. Naquela época, escrevi que os palavrões eram o mais significativo e explícito sinal dessa correlação. Eles existem em todas as línguas que se valem dessas palavras de caráter vulgar e correspondem a funções sexuais menos convencionais. Ou seja, os termos que descrevem situações de caráter erótico correspondem a expressões que indicam máxima agressividade verbal. Os palavrões, em geral, descrevem atos de humilhação sexual que um homem promete executar contra outro; isso também me chamou muito a atenção, pois tudo indicava que a associação entre sexo e agressividade era essencialmente masculina.

Flávio Gikovate

A análise mais acurada do erotismo feminino, em especial o gosto que certas mulheres têm de se apresentar a fim de despertar o máximo desejo nos homens, também acabou revelando um importante ingrediente agressivo, ainda que exercido de modo passivo em boa parte delas. A experiência clínica da época indicou-me um roteiro curioso, que talvez ainda valha em alguns casos para os dias atuais: são justamente aquelas meninas que, quando crianças, não gostavam de ter nascido com as propriedades anatômicas típicas do sexo feminino e, ao adolescer, percebem-se bonitas e atraentes aos olhos dos homens as que mais se enfeitam e gostam de se vestir de forma provocante. São justamente aquelas que Freud diria que sentem inveja do pênis as que experimentam enorme prazer em provocar o desejo dos homens. Provocar e não permitir a abordagem – ou estimulá-la até certo ponto para depois interromper a aproximação de modo brusco – pode ser visto como severa manifestação agressiva, uma espécie de vingança da sensação infantil de inferioridade. Essas mesmas mulheres, por vezes belas e sensuais, rejeitam com regularidade os maridos, especialmente os do tipo mais generoso. Assim, a ação agressiva ganha dupla conotação: humilha a figura masculina invejada desde a infância e rebaixa o generoso, a quem também inveja.

Falar de agressividade significa sempre falar de inveja – humilhação sentida por aquele que se compara e se reconhece por baixo. Um dos aspectos frequentes nas relações entre parceiros com características opostas é a inveja recíproca; sim, porque o mais generoso inveja a extroversão, a falta de culpa e a competência para usufruir das coisas boas que o mais egoísta tem, ao passo que este último inveja a capacidade de dar e a disponibilidade do mais generoso. A inveja recíproca implica recíproca admiração, posto que dela derivam tanto o amor como a inveja. Para que a admiração não contenha ingredientes invejosos, é indispensável que os casais se unam em função de suas afinidades: as propriedades de ambos serão muito parecidas, de modo que não haverá espaço para a inveja. Essa seria mais uma das tantas vantagens próprias das alianças entre pessoas afins.

A inveja, o ciúme, avanços no entendimento do que seja o amor, assim como um elogio à solidão quando bem aproveitada fazem parte dos principais ensaios do livro que publiquei em seguida, *Ensaios sobre o amor e a solidão*. No que diz respeito ao ciúme, considero que existam dois tipos distintos: os de natureza sentimental e os de ordem sexual. O ciúme sentimental pode existir entre mãe e filho/a, entre amigos e entre irmãos sem que implique qualquer ingrediente sexual. Nos elos sentimentais, o que ama quer se sentir prioridade na vida do amado. Prioridade significa gostar – necessitar? – de se sentir o número um, o que recebe mais cuidados. Sempre que essa regra se rompe, a pessoa se sente desprestigiada, desprezada, rejeitada. Não há como impedir o ciúme sentimental, e creio ser ingenuidade achar que ele será, um dia, extinto por um decreto da razão humana; não temos toda essa força mental nem tamanho domínio sobre nossas emoções e, provavelmente, sobre nossa biologia. Quanto ao ciúme sexual, ele só existe quando há real perigo de infidelidade carnal ou quando a pessoa é extremamente insegura. O ciúme erótico com fundamento é responsabilidade de quem o provoca; quando sem fundamento, corre em virtude da insegurança de quem o sente e manifesta.

A conotação mais vulgar e agressiva que a maioria dos homens gosta de imprimir ao sexo nem sempre é bem compreendida pelas mulheres, muitas delas talvez mais delicadas com essa prática – delicadas por convicção ou por educação, ou seja, para não se mostrar portadoras de uma vulgaridade que as desmereceria. A verdade é que esse é um dos maiores pontos de desencontro sexual nos casais, sobretudo naqueles que se dão bem e nos quais o carinho e a ternura, por si sós, competem com o erotismo. Aqui, como em tantas outras situações, as conversas francas e sinceras entre os que se amam criam condições para que o casal se entenda e perceba a conveniência de, na hora do sexo, abandonar a ideia de que ele deva ser vivenciado como continuação do amor. Digo e repito: sexo e amor não fazem parte do mesmo tipo de impulso natural; sua associação se dá, na prática, porque é muito mais interessante trocar carícias eróticas com quem também temos outras afinidades. Porém, é preciso compreender que, na hora do sexo, convém "mudar de canal": sair do clima de ternura e mergulhar, por alguns minutos, na vulgaridade mamífera que faz tão bem ao ato.

Essas e outras considerações apareceram ao longo dos anos de colaboração regular na revista *Claudia*, como também nos livros que publiquei no mesmo período. Já no programa diário *Canal livre*, que contava com a participação de um pequeno auditório, eu entrevistava especialistas, quase todos exercendo atividades direta ou indiretamente relacionadas à psicologia. Acredito ter se tratado de mais uma tentativa válida de divulgar a psicologia para o grande público, mas certamente não foi tão bem-sucedido quanto eu gostaria, pois eu dispunha de pouco tempo para me preparar e até para me manifestar, já que costumava recepcionar médicos ilustres. Eu saía correndo do consultório às 16h30, chegava ao estúdio meia hora depois e mal tinha tempo de ler o roteiro, posto que em 30 minutos o programa ia ao ar ao vivo. Não sei como tolerei isso ao longo de tantos meses – embora eu fosse mais moço, cheio de energia e não raro voltasse ao consultório depois. Numa segunda fase, passei a realizar entrevistas num programa chamado *Falando de verdade*, no qual eu recebia pessoas interessantes, inclusive tipos incomuns na TV aberta daquela época. Algumas dessas entrevistas iam ao ar só durante a madrugada devido ao conteúdo mais picante de muitas delas. Entrevistei, sempre de forma muito cautelosa e respeitosa, travestis, prostitutas, homossexuais assumidos, atores de filmes pornográficos etc. Não fiquei muito tempo nessa atividade e, ao sair, senti enorme alívio. Não era viável conciliar um programa diário e ao vivo na TV com todas as outras atividades que nunca deixei de exercer.

Ainda muito intrigado com a questão sexual, comecei a aprofundar minhas reflexões com o objetivo de avaliar se o sexo se tornava um efetivo fenômeno interpessoal com a puberdade. Sim, porque durante a infância suas manifestações são claramente autoeróticas. É curioso que muitos textos que reconhecem esse caráter pessoal da sexualidade infantil falem também, por exemplo, de desejo do menino pela mãe. Não sei como conseguem conciliar autoerotismo com desejo! Afinal, desejo por uma pessoa em especial é algo que impulsiona um ser na direção dela, o que teria caráter interpessoal. Como já escrevi, não acredito que as crianças sintam desejo, mas é fato que elas se excitam – sensação de inquietação erótica que independe de qualquer objeto – ao se tocar, ou ao se deixar tocar, nas zonas erógenas. Passei a questionar se o desejo adulto, o de caráter visual próprio dos homens, era mesmo interpessoal, posto que os objetos do desejo são indiscriminados (fotos, filmes, devaneios). Olhar algo e sentir desejo será mesmo interpessoal? A dúvida me perseguiu por um longo tempo e fiz as primeiras declarações a esse respeito em *A libertação sexual*. Mais uma vez, não obtive as respostas que esperava. O livro tratava também do "ficar", tema que parece ter chamado mais a atenção dos leitores do que aquilo que, naquele momento, mais me intrigava. Eu sentia não estar sendo devidamente entendido.

Sem dúvida, é na questão sexual que reside minha maior dificuldade de ser entendido. Creio que isso se deva a vários fatores, sobretudo à minha pouca competência em me comunicar, ao menos nesse assunto. Isso costuma acontecer quando o tema ainda não está muito bem resolvido na minha mente – o que até então é uma verdade, pois penso que a questão sexual envolve aspectos complexos, inclusive os relacionados com a vaidade e sua influência sobre toda a atividade cultural. Acredito também que as pessoas não querem saber muito mais do que já sabem a respeito do sexo porque apreciam esse jogo de sedução e as tramas ligadas ao desejo. Além disso, a própria psicologia faz o elogio do desejo, apontando-o como a grande força que nos move. Porém, penso que poderemos ser movidos por outros tipos de inquietação, como as dúvidas, a curiosidade intelectual e as atividades físicas que almejam a boa saúde. Além disso, nossa cultura se construiu sobre a repressão sexual e agora se deleita com essa suposta libertação que induz ao consumismo e aos prazeres relacionados aos jogos de sedução. Assim, fica difícil mudar e eventualmente desqualificar aspectos de um tema tão fundamental à nossa subjetividade.

Flávio Gikovate

Por vezes, tenho a impressão de que as ideias que defendo – sobretudo as que tratam dos bons relacionamentos amorosos baseados em afinidades, do sexo como fenômeno pessoal e da ligação entre egoísmo e generosidade – têm um caráter explosivo: poderiam gerar um movimento social contrário a vários interesses, pois se oporia ao consumismo, ao jogo de sedução e às conquistas eróticas que enfeitam o cotidiano vazio de muita gente. Tais mudanças melhorariam a qualidade de vida das pessoas, levando-as a um patamar de felicidade que talvez não interesse ao poder econômico constituído. Afinal, indivíduos mais serenos e em razoável harmonia tenderiam a consumir menos, a cuidar bem da saúde e a buscar acima de tudo o bem-estar.

Quero dizer com isso que as mudanças tecnológicas representam fatos que modificam nossa forma de estar no mundo e de criar novos estilos de vida. Conforme o caso, o processo se torna perigoso para o sistema econômico, todo ele fundado na produção de riquezas que deverão se transformar em objetos do desejo de consumo de um número crescente de pessoas. Tudo que diminui o desejo das pessoas é muito malvisto pela estrutura que nos governa. Ao mesmo tempo, paradoxalmente, o próprio avanço tecnológico acabará por criar as condições para que isso aconteça.

Explicando de outro modo: os avanços tecnológicos nos obrigam a mudanças que nos tornam pessoas diferentes; essas "novas" criaturas produzem ideias inéditas que poderão gerar novos avanços, tanto tecnológicos como econômicos – que acabam se transformando em bens de consumo. A qualquer momento, as "novas" pessoas podem produzir ideias que venham a se opor aos avanços, sobretudo no plano econômico – o que seria um desastre do ponto de vista da ordem socioeconômica estabelecida. Essa hipótese foi esboçada de modo ameaçador na segunda metade dos anos 1960, quando os jovens contestadores e contrários ao consumismo decidiram eleger a calça jeans como uma espécie de uniforme simples e barato, que dispensava outras peças de roupa. O sucesso da empreitada foi imediato e a indústria não teve outra alternativa senão incorporar a calça jeans aos itens de consumo. E até hoje ela está aí, no guarda-roupa de quase todos, enquanto a indústria sempre busca introduzir pequenas variações para que as pessoas não cessem de consumi-las. Conseguiram transformar o símbolo da contestação do sistema em um novo produto a ser vendido por ele. Imaginem o que teria acontecido se não tivessem agido assim!

Se o sistema conseguiu fazer isso com um símbolo material da contestação e mudança – relacionado à igualdade entre homens e mulheres –, imaginem o que poderá acontecer se os novos avanços tecnológicos forem capazes de gerar ideias suscetíveis de promover um estilo de vida mais feliz e pleno. Imaginem que tais ideias não se concretizem em nenhum símbolo material que possa ser transformado em novo objeto de consumo. O sistema terá criado, de forma involuntária, as condições para dar início à própria decadência.

Flávio Gikovate

Foi mais ou menos com essas ideias em mente que comecei a pensar em um livro sobre a felicidade e sobre como driblar, ao menos em parte, o medo dela. Sim, porque é forte minha convicção de que esse medo provoca sofrimento, que por sua vez pede atenuadores – entre eles, os novos bens de consumo capazes de produzir etéreos momentos de alegria e bem-estar. Ou seja, penso que nossa sociedade contribui para gerar indivíduos infelizes, uma vez que eles serão consumidores melhores. E, mesmo que ela não agisse a favor da infelicidade, já que esse estado de alma deriva também de algumas das nossas peculiaridades e da nossa dramática condição cósmica, definitivamente não se empenharia em atenuá-la. O maior exemplo disso é a louvação de propriedades que jamais serão acessíveis à maioria das pessoas: beleza, riqueza, fama e até magreza excessiva. Chamei a essas propriedades, tratadas pelo meio em que vivemos como geradoras da máxima alegria, de "felicidades aristocráticas" justamente porque privilegiam apenas um pequeno grupo da população. E mais, se essa proposição social fosse verdadeira e a felicidade dependesse de as pessoas terem essas características, estaríamos condenando a esmagadora maioria dos humanos à infelicidade.

Escrevi *Dá pra ser feliz... Apesar do medo* com satisfação e sem grande preocupação em ser original. Apenas queria encontrar uma forma de descrever aquilo que chamei de "felicidades democráticas", acessíveis a todos. Elas não são excludentes, de modo que a felicidade amorosa de um casal não diminui em nada as chances de felicidade das outras pessoas. É claro que a felicidade sentimental aparece como ingrediente fundamental da felicidade, pois atenua o desconforto derivado da nossa sensação de incompletude; e é fato que mesmo naqueles que aceitam melhor tal desconforto existe certo vazio que se preenche muito bem com um bom relacionamento amoroso. (Quando o vazio é enorme, qualquer relacionamento serve, o que é péssimo! É bem melhor a pessoa se empenhar em sua evolução emocional em vez de ser obrigada a tolerar brigas e cobranças.)

O prazer corresponde à alegria que deriva da transição de uma situação pior para outra melhor – ao contrário da dor, que deriva da transição para um estado pior. Prazeres e dores não duram indefinidamente. Isso pode ser uma má notícia quando se pensa nos prazeres, mas é ótima quando se trata das dores: alguém que sofra um acidente e precise passar a viver numa cadeira de rodas sofrerá muito ao longo dos primeiros tempos da limitação, mas aos poucos se adaptará ao novo contexto e deixará de padecer tanto com o acontecido.

Copiando uma ideia de Schopenhauer que me pareceu muito interessante, também dividi os prazeres em negativos e positivos. Os negativos seriam derivados do fim de algum tipo de desconforto. Por exemplo, a fome, a doença e a sede são desconfortos que desaparecem quando se come, se volta a ter saúde ou se bebe água, o que provoca momentâneo bem-estar. É claro que, no caso da fome, ao prazer negativo de saciá-la se pode acoplar um prazer gustativo de caráter positivo, aquele que independe de sofrimento prévio; assim, para se deliciar com uma barra de chocolate, não é necessário estar com fome! A saúde é um prazer negativo, pois não a valorizamos a não ser nos primeiros dias depois de termos estado doentes. A ausência – ou a presença de uma cota mínima – de sofrimentos objetivos que dependem de uma condição material adequada para que se possa morar com dignidade, ter acesso a tratamentos médicos e odontológicos etc. constitui um requisito fundamental para a felicidade humana. Nesse aspecto, e só nesse, o dinheiro pode ser visto como realmente essencial.

Um aspecto interessante dessa forma de pensar tem que ver com o amor, pois ele seria essencialmente um prazer negativo, um atenuador da sensação de incompletude. Se não existisse esse "buraco" em nós, é provável que o amor não existisse! Se nos sentíssemos completos, teríamos prazer na companhia de certas pessoas com as quais temos afinidades e no contato sexual com algumas delas, mas não sentiríamos um apego especial por alguém que nem sequer faria parte de nosso rol de amigos – isso levando em conta que a maioria dos indivíduos se une a opostos, pessoas com as quais nem sempre sentem afinidade.

Todas essas reflexões se encaixam muito bem naquilo que eu já elaborara acerca das semelhanças entre o amor de boa qualidade e as amizades. Assim, quanto mais amadurecida e competente para ficar sozinha for a pessoa, maior será sua tendência a buscar parceiros com os quais tenha afinidades parecidas com as que se tem com os grandes amigos – condição na qual o prazer negativo derivado do preenchimento do "buraco" existe, mas é menor, ao passo que a amizade é recheada de prazeres positivos relacionados com o deleite de estar na companhia desinteressada um do outro.

Outro aspecto que foi ficando ainda mais claro nesse sentido é a separação entre sexo e amor, posto que o sexo é um óbvio prazer positivo: não há necessidade de nenhum desconforto prévio para que surja um clima no qual a pessoa se excite e se delicie com essa inquietação extremamente agradável. Talvez o sexo seja a mais agradável das inquietações físicas, mas não creio que seja a única. Foi em virtude desse aspecto da nossa sexualidade, o de produzir um desequilíbrio agradável, que Freud elegeu esse impulso como o maior propulsor de nossas ações, incluindo aquelas de natureza intelectual. Que o sexo interfere na vida intelectual não tenho dúvidas; e o faz por meio da vaidade, prazer erótico que contamina tudo. Porém, penso que a inquietação intelectual é, para muitos, fonte de inspiração e de ações que vão em busca de melhores explicações e soluções inovadoras.

Se numa folha de papel em branco traçássemos uma linha vertical separando as dores dos prazeres, os pontos dessa linha corresponderiam à situação de equilíbrio, de serenidade (aquilo que, em biologia, se chama homeostase). Não conseguimos ficar muito tempo nela, pois os desconfortos físicos nos puxam na direção das dores e os anseios de todo tipo nos empurram na direção dos prazeres. Talvez pudéssemos definir a felicidade como um estado que corresponde ao menor tempo de permanência no domínio das dores, uma boa capacidade para ficar em equilíbrio e harmonia e o usufruto inteligente dos prazeres que a vida pode nos proporcionar – prazeres esses que não são tantos nem tão relacionados com o consumismo, como sugere nosso meio social. Os prazeres corpóreos são os de natureza erótica e outros relacionados com a atividade física, tais como a dança, a prática de esportes, os exercícios de ioga e assim por diante. É claro que a vaidade interfere nos prazeres do corpo, de modo que a boa aparência – a melhor que pudermos ter, dadas nossas disposições inatas – é algo que nos faz bem. A vaidade precisa ser domesticada, pois pede sempre mais destaque, o que pode desembocar num consumismo excessivo e gerador de graves problemas psíquicos. A vaidade gera comparações e competições e aumenta as chances de inveja, de modo que não deveria continuar a ser tratada com a displicência e a ingenuidade com que nossa sociedade o faz.

Além dos prazeres do corpo, penso nos intelectuais com total autonomia, embora eles também possam ser escravizados pela vaidade – e aqui o cuidado deve ser ainda maior, pois os equívocos na forma de pensar podem ser destrutivos. Muitos dos prazeres intelectuais são mais que óbvios: ouvir as músicas que nos encantam, assistir aos filmes que nos comovem, ler os textos que nos interessam, ter conversas ricas e estimulantes com os amigos, conhecer lugares novos... Acredito que aprender seja um prazer intelectual extraordinário e fico triste sempre que penso no grande número de pessoas que se afasta dele. Acho que estão perdendo uma das coisas mais interessantes que temos para fazer durante nossa estada no planeta.

O gosto por aprender é estimulante ao extremo, posto que a dúvida ajuda-nos a avançar no entendimento da vida ou de nós mesmos. Aprender a conviver com as dúvidas e achar isso positivo ajuda o cérebro a se manter "poroso", disponível para mudanças de opinião, ao longo de toda a vida.

Afora os prazeres do corpo e os do intelecto, além da possibilidade de nos afastarmos ao máximo das dores, nada de muito relevante existe para que possamos nos entreter. Os exageros de todo tipo correm por conta da vaidade, e estimulá-la para além de sua existência inexorável, biológica, parece-me extrema maldade para com aqueles que não poderão ter acesso aos prazeres, mais que efêmeros, que o destaque oferece. *Dá pra ser feliz...* termina mostrando, mais uma vez, os perigos derivados da nossa tendência destrutiva que cresce justo quando estamos nos aproximando de uma condição quase paradisíaca. O medo da felicidade e a vaidade são nossos piores inimigos internos. Domesticá-los faz parte do caminho obrigatório para aqueles que pretendem se aproximar ao máximo da felicidade.

Flávio Gikovate

É com esse estado de espírito, ainda cheio de otimismo e esperança, que chego à fase mais recente das minhas reflexões – que, em essência, têm se voltado para o aprimoramento das ideias que desenvolvi ao longo dos primeiros 40 anos de trabalho.

5 cinco
2005-2015: A MATURIDADE

Os anos da chamada "terceira idade" vêm sendo frutíferos e positivos para mim. Não tenho vivido nada daquilo que é tão temido pelos que envelhecem: minha clínica continua indo de vento em popa, sem nenhum sinal de decadência; meus livros mais maduros têm tido excelente aceitação e estou na minha melhor fase no que diz respeito às atividades que sempre exerci nos meios de comunicação. Acho que avancei no entendimento da condição humana, perdendo uma parte da ingenuidade que ainda me restava por força da influência por demais idealista vinda do meu pai. Fui educado para achar que quando uma pessoa se esforça e tem bons resultados ela é objeto da admiração e carinho das pessoas; infelizmente, isso nem sempre é verdade, pois é uma suposição que ignora a presença quase inexorável da inveja. Aprendi que as concepções mais próximas da verdade tenderiam a prevalecer, pois as pessoas, cedo ou tarde, acabariam por dar o crédito devido a quem as gerou. Mas isso também não é verdade, pois os indivíduos resistem a qualquer inovação, não gostam de abrir mão de seus velhos pontos de vista, em torno dos quais estão acomodados e com os quais se sentem confortáveis.

Em princípio, tudo que é diferente é visto com reservas e tende a ser rejeitado. Assim, tanto por razões duvidosas relacionadas com a inveja e a rivalidade, que não deveriam existir entre aqueles que buscam o conhecimento humano, quanto por força da resistência natural diante do que é novo, ideias discrepantes têm grande dificuldade de se estabelecer. Durante anos senti-me magoado e injustiçado por isso. Com o passar do tempo, porém, compreendi melhor como são as pessoas e tenho conseguido abandonar esse resíduo de ingenuidade que me leva a avaliar os outros tomando por base o meu comportamento. Sempre que me vi diante de trabalhos que considerei relevantes, não hesitei em defendê-los e em contribuir para sua divulgação; ingenuamente pensei que todos agiriam assim. Lembro-me bem do meu pai, sempre perplexo quando um colega menos qualificado que ele tratava de sabotar suas atividades. Isso o surpreendia mesmo quando ele, com mais de 60 anos, já deveria ter entendido que a inveja predomina sobre os sentimentos positivos em muitos dos nossos colegas, que se comportam mais como concorrentes do que como amantes da verdade.

Esses primeiros anos do século XXI têm sido marcados por um enorme avanço da comunicação pela internet e também pela chegada das redes sociais e sua brutal difusão. Tenho a felicidade de estar cercado por alguns colaboradores jovens que me impulsionaram nessa direção, de modo que não fiquei por fora desses movimentos que, hoje, têm um grande poder de influência.

Gikovate além do divã
Flávio Gikovate

Minhas redes sociais são muito bem-sucedidas e nelas posto textos curtos, todos eles voltados para a divulgação dos meus trabalhos mais extensos, sobretudo dos meus livros e de alguns vídeos que considero importantes. Várias das minhas palestras que foram gravadas estão em um canal do YouTube; elas são assistidas por dezenas de milhares de pessoas, tendo um efeito multiplicador que muito me agrada. Todas as minhas atividades em meios de comunicação são desprovidas de qualquer objetivo financeiro – a elas me dedico como um serviço de utilidade pública. Não preciso e nunca precisei desse tipo de exposição para manter minha clínica ativa; a verdade é que só passei a me dedicar a trabalhos de divulgação depois de obter uma boa posição como médico. Nunca sequer considerei a hipótese de que minha exposição nos meios de comunicação me traria clientes, pois sou bem-sucedido na profissão desde os 26 anos de idade.

Os anos que correm são os do "reinado da internet". O consumo também vem se modificando, de modo que muitos jovens preferem comprar celulares e tablets incrementados em vez de roupas e outros adornos. A comunicação se torna virtual, os encontros amorosos florescem por essa via e eu considero tudo isso muito interessante. É claro que existem os exageros e já se fala bastante sobre os "viciados" em internet, o que não deixa de ser preocupante. Mas é sempre a mesma questão:

a temperança é privilégio de uns poucos, de maneira que muitos são os que exageram, para mais ou para menos, em quase todas as atividades humanas. De todo modo, a comunicação virtual tenderá a se assemelhar cada vez mais à que acontece no mundo real, de forma que talvez seja "apenas" outro modo de as pessoas interagirem. O futuro trará as respostas acerca das vantagens e desvantagens desse tipo de interação.

Outra característica marcante deste ponto da história reside no fato de as mulheres terem avançado intelectual e profissionalmente mais que os homens. Talvez ainda não ganhem tanto ou mais que eles, mas isso acontecerá em breve. O fato é que 60% das vagas das universidades do mundo inteiro são ocupadas por elas, e tudo isso aconteceu no curto prazo de 50 anos, a partir da comercialização da pílula anticoncepcional e dos movimentos libertários dos anos 1960. Se na minha turma da Faculdade de Medicina, onde ingressamos em 1961, éramos 72 homens e oito mulheres, hoje elas são maioria. Essa alteração é curiosa, pois o mais razoável seria que elas ocupassem 50% das vagas. Afinal, as mulheres não são mais burras que os homens, como queriam provar muitos intelectuais do passado, mas também não são mais inteligentes. Elas simplesmente estão mais esforçadas e eles, mais indolentes. Será efeito do "ficar", pelo qual os moços não acham necessário evoluir para ter acesso às moças? Elas, vendo a indolência dos rapazes, estão tratando de estudar e de se tornar independentes, já que não poderão contar com a participação deles no seu sustento? Essas são algumas das minhas conjecturas que buscam explicar o estranho fato de elas terem tomado a dianteira.

Outra de minhas preocupações refere-se ao futuro das relações afetivas. Sim, porque os homens sempre gostaram de se sentir superiores, fortes e provedores. Isso os deixava mais seguros até mesmo sexualmente, e as moças sempre admiraram – e amaram – rapazes que elas consideravam mais dotados e mais bem-sucedidos que elas. Agora a situação terá de se modificar justamente num dos poucos pontos em que homens e mulheres sempre concordaram. Como serão os casamentos do futuro? Como os casais farão para cuidar dos poucos filhos que terão se ambos estiverem trabalhando com igual intensidade? As crianças crescerão em creches? Isso será melhor, pior ou igual para elas? Essas e tantas outras questões permanecem em aberto. Por ora, muitas famílias, ao menos no Brasil, podem se valer do serviço de cuidadoras privadas, que suprem, em parte, o papel das mães que trabalham, mas esse tipo de serviço tende a se tornar cada vez mais caro e raro. Inúmeras famílias têm avós disponíveis que também podem ajudar no cuidado dos filhos – o que pode ter fim quando essas mães trabalhadoras se tornarem avós, uma vez que é provável que ainda estejam trabalhando.

É claro que esse contexto influi bastante no modo de ser e de se relacionar das pessoas. Os avanços assim rápidos no plano da vida prática e seus desdobramentos nas formas de expressão culturais não podem continuar a ser negligenciados pelos profissionais de psicologia. Aprendemos na faculdade que somos seres biopsicossociais. Porém, na prática, certos terapeutas priorizam o que é biológico, dedicando-se ao estudo da genética, das localizações cerebrais das emoções, dos transtornos mentais e do uso de medicamentos com a finalidade de aliviar o sofrimento e, por vezes, curar certos problemas. Outros priorizam os aspectos psicológicos, os acontecimentos traumáticos que nos ocorreram, como e com que intensidade o convívio familiar nos influenciou e assim por diante; valem-se de tratamentos psicoterápicos com a finalidade de ajudar as pessoas a superar suas dificuldades. Nos anos 1950, Erich Fromm tornou-se bastante respeitado ao escrever sobre os aspectos sociais, econômicos e políticos que também interferem em nosso modo de ser. Esses profissionais de psicologia – terapeutas que levam em conta a influência cultural na vida dos indivíduos – têm tido pouca visibilidade, o que é uma lástima.

Pessoalmente venho defendendo, há vários anos, a ideia de que temos de avaliar a condição psicológica de cada um pelos três aspectos. Em uns pode predominar o biológico – nas depressões graves, por exemplo; em outros, o psicológico – imaturidades emocionais devidas à superproteção, por exemplo; e em outros ainda, os aspectos culturais – como é o caso das crianças que são vítimas do *bullying*. É curioso que as pessoas tenham dificuldade de lidar com as três variáveis que nos constituem e sempre tentem privilegiar uma delas em detrimento das outras. Claro que muitos são os casos em que um mesmo problema é fruto da interação de mais de uma variável, de modo que os diversos recursos terapêuticos podem ser associados em benefício de dado paciente. O que mais interessa é seu bem-estar, e não a vitória de uma doutrina sobre outra. A propósito desse tema, que considero fundamental para o entendimento da nossa condição, escrevi o ensaio inicial, e talvez o mais importante do meu livro *Nós, os humanos* – reescrita aprimorada dos apêndices da primeira edição de *Uma nova visão do amor*, obra que também foi atualizada e continua agradando a um público bem amplo.

Em um dos ensaios de *Nós, os humanos*, trato de outra questão teórica muito relevante: a existência ou não, em nós, de forças antagônicas de caráter instintivo, inato. Freud, em suas conclusões finais, falava em "pulsão de vida" e "pulsão de morte", apontando para uma visão dualista inevitável. Quando Koestler fala de dupla tendência, uma para a integração e outra para a individuação, também abraça uma visão dualista da nossa existência. Essas visões têm aspectos em comum, posto que tudo que impulsiona para a individuação tem que ver com a vida e com o erótico – lembro que o sexo tem no autoerotismo, individual portanto, sua manifestação principal, senão única. A ideia de integração está ligada à atividade gregária, mas pode também significar voltar a fazer parte do universo como um todo, o que não deixa de ter relação com a morte.

Essa visão dualista implica um pessimismo intrínseco, pois impede soluções que não sejam de compromisso entre duas tendências antagônicas e inexoráveis. Esses compromissos sempre demandam renúncias e, portanto, algum sofrimento. Penso de um modo um pouco diferente. Reconheço a tendência à individuação e sua relação com a sexualidade desde o segundo ano de vida. Sim, porque a criança, ao descobrir suas zonas erógenas, descobre um entretenimento pessoal que independe da presença da mãe ou de qualquer outra criatura. E mais, isso acontece em concomitância com o fato de ela começar a andar e a especular o mundo à sua volta, instigando sua curiosidade e independência. Meu aspecto discordante diz respeito à "pulsão de morte", que considero muito teórica: uma parte de nós buscar a harmonia inanimada pressupõe inclusive que se saiba que a morte corresponde a isso. E a realidade é que não sabemos nada acerca do que acontece quando morremos. Buscar algo que desconhecemos também me parece, como já registrei, um esforço teórico para resolver a questão prática ligada às nossas inegáveis tendências autodestrutivas.

Quanto a esse viés, penso que a hipótese que defendo, que considera a harmonia uterina algo que sempre buscamos reencontrar – em vez da suposta harmonia inanimada da morte –, é bem mais viável. É mais fácil ir atrás do que se conheceu (ainda que de forma não verbal) e gostou do que buscar o desconhecido. Além do mais, isso explicaria essa tendência integrativa, muito associada ao amor romântico de fusão e ao convívio familiar como base primeira do comportamento gregário. O trauma do nascimento provocaria o medo de que a harmonia – felicidade – sempre fosse seguida de uma grande catástrofe, o que geraria tendências autodestrutivas menores com a finalidade de nos proteger de hecatombes maiores. Assim, as forças destrutivas costumam ser mais intensas quando estamos bem. Essas hipóteses podem não se confirmar no futuro, mas me parecem mais verossímeis do que as que tratam da pulsão de morte.

Um último aspecto sobre essas questões um tanto maçantes para a maior parte das pessoas, já que pouco úteis para fins cotidianos: o amor que pretende reencontrar a "metade perdida" tem caráter regressivo, imaturo e próximo de uma dessas doenças incuráveis que nos atrelam à infância, nossa e da humanidade. Creio que ele determina uma tendência integrativa medíocre e nada evoluída. O amor desse tipo, dependente e possessivo, puxa-nos para baixo e para trás, não devendo ser louvado. Ele é parte dos tempos em que a imaturidade coletiva se expressava de várias formas gregárias primitivas, como os clãs familiares e as comunidades de artesãos. Fez parte de uma época em que a individualidade se desenvolvera muito pouco. Hoje, temos o privilégio de viver um tempo em que podemos pensar no amor mais como amizade, respeitador da individualidade de cada um, como um pequeno e adorável resíduo dessa severa "neurose regressiva" própria do romantismo. Em síntese, a tendência integrativa, que inclui o amor romântico tradicional, é parte de um processo regressivo que pode um dia ser superado; caso isso aconteça, reinará em nós, como única, a tendência à individuação, restando apenas vestígios desses tempos imaturos da nossa história.

Em 2005, escrevi *O mal, o bem e mais além*, texto definitivo acerca da questão do egoísmo e da generosidade. Foi um livro muito bem recebido, talvez porque eu finalmente tenha conseguido me expressar com clareza sobre o tema – bastante polêmico e, apesar da linguagem clara e convencional, inovador. As críticas ao egoísmo sempre foram bem-aceitas pelos generosos, ao contrário dos mais egoístas, que não titubeiam em tentar esconder suas características negativas e procuram se afirmar e se promover graças à sua extroversão e simpatia. Os mais generosos também relutaram em aceitar que a generosidade não é virtude, pois implica dominação e vaidade. Mas o que de fato tem ajudado a entender melhor meu ponto de vista é a questão prática: pessoas generosas contribuem para o aprimoramento daqueles com quem convivem? Se a resposta for positiva, estamos diante de um comportamento virtuoso. Se contribuir, como tenho reafirmado sempre que posso, para reforçar a pior parte da alma do egoísta, então se trata de uma falha moral. Registrei que "generosidade" é um termo usado para as relações íntimas, ao passo que "altruísmo" seria a manifestação de dedicação, por vezes anônima, a pessoas que desconhecemos. Nesse caso, é óbvia a validade moral da contribuição para o bem-estar e o aprimoramento de terceiros.

Porém, nas relações íntimas, a situação é bem diferente. Quando o pai ou a mãe superprotege o filho, age mal, pois contribui para que seja um fraco, alguém pouco acostumado a tolerar frustrações e contrariedades. Quando um cônjuge se dedica cada vez mais ao parceiro egoísta – que é sempre o que mais se queixa, o que mais reclama de falta de cuidados –, imaginando que sua dedicação extremada um dia, finalmente, fará com que o amado reconheça seus sentimentos e esforços, na prática só está reforçando o oportunismo do que já é mais folgado. Insisto no fato de que o egoísmo só deixará de existir depois que desaparecer a generosidade. Ou seja, o importante é combater a generosidade, sempre envolvida em sentimento de culpa exagerada. Se desaparecerem os que se deixam explorar, o explorador se extinguirá. Enquanto existirem os que acham virtuoso carregar alguém no colo, sempre haverá alguém disposto a ser levado sem fazer força. O fato é que aquele que vai no colo pode se achar muito esperto, mas suas pernas se atrofiam rapidamente, tornando-o cada vez mais fraco e dependente.

Em outras palavras, as relações entre uma pessoa generosa e outra egoísta têm caráter incrivelmente involutivo: são cheias de conflitos – ambos estão sempre cobrando mudanças no comportamento do outro e ninguém muda porque sua conduta está reforçada pelas atitudes do parceiro. Enquanto o casal não se conscientizar da necessidade de modificar o padrão de comportamento, sempre levando em conta que a mudança inicial e mais radical deveria ocorrer com o generoso, ambos ficarão atolados em suas limitações. O verdadeiro avanço moral tem que ver com a justiça, com dar e receber na mesma medida. O generoso dá mais que recebe e o egoísta recebe mais que dá. Ambos estão fora do ponto da temperança. O justo é um indivíduo que não só está numa posição equilibrada em relação às suas trocas, como também não é escravo da culpa e pode decidir se diz "sim" ou "não" em cada situação, levando em conta as condições objetivas em que se encontra. O que vive atormentado pela culpa não consegue dizer "não". O que está mal-acostumado só sabe pedir. O justo é livre em suas decisões. Escrevi sobre isso há uma década e afirmei que o justo é um personagem inexistente, espécie de "retrato falado" de um tipo de gente que, um dia, existirá. Infelizmente, até aqui continua a ser apenas uma boa ideia.

Em 2008, escrevi *Uma história do amor... Com final feliz*, talvez o livro definitivo sobre as questões do amor. Ele repete muitos dos conceitos dos anteriores e fala de modo mais claro do +amor, ou seja, desse novo tipo de romance compatível com nossa realidade atual e mais adequado aos tempos individualistas. Reafirma a importância das afinidades nos elos sentimentais contemporâneos, o que cria condições para que novos relacionamentos estáveis e duradouros sejam vislumbrados. Vale a pena repetir a essência do meu ponto de vista: vivíamos um tipo de elo conjugal mais apropriado aos tempos difíceis e adversos em que se tinham muitos filhos e um cotidiano doméstico difícil e trabalhoso; nesses tempos, em que os homens mandavam e as mulheres obedeciam, e não havia muito que fazer além de trabalhar e ficar em casa, não havia necessidade de grandes afinidades, pois só uma cabeça comandava tudo – e esse tudo era muito pouco. Com a modernidade, os elos desse tipo se tornaram obsoletos, da mesma forma que as charretes, os fogões a lenha...

A evolução pede afinidades, e eu achava que o entendimento desse processo cultural geraria uma rápida mudança no critério de encantamento amoroso, de modo que os casamentos tenderiam a se dar por afinidade. Eis que aparece esse obstáculo totalmente inesperado, que é o medo da felicidade sentimental. Sim, porque o elo entre afins é intenso e produz mais aconchego e harmonia – e, portanto, mais felicidade e medo. Este tem feito muitos indivíduos ficarem sozinhos por um tempo. Já não querem elos entre opostos e ainda não estão prontos para aqueles baseados em afinidades – sentem que os parecidos "só" são interessantes como amigos. Estamos vivendo um impasse em que a maioria das pessoas continua se casando com seus opostos – e, anos depois, tendem a se divorciar pelas mesmas razões que os uniram.

Gikovate além do divã
Flávio Gikovate

Inúmeras histórias baseadas em afinidades se iniciam no contexto da paixão, descrita de novo nesse livro e definida claramente como a associação entre o amor de intensidade máxima e o medo de igual dimensão: paixão = amor + medo! Essa forma de entender a paixão também não corresponde ao ponto de vista da maior parte dos profissionais da área; aliás, muitos usam o termo sem conceituá-lo com rigor. O mais comum é que esse encantamento tão intenso aconteça em um contexto complexo, em que um dos membros do par ou ambos ainda estão casados, quando existem diferenças de idade, questões geográficas que impedem a fácil e plena realização do sonho de ficarem juntos. Os obstáculos externos costumam ser amplificados, pois na realidade são uma projeção dos obstáculos internos – sendo o principal deles o medo da felicidade. Repito que este corresponde ao medo de perder esse estado e à falsa ideia de que a felicidade intensa aumentaria as chances de que coisas terríveis aconteçam.

Aqueles que não fogem desse medo irracional fazem muito bem, posto que as fobias foram feitas para ser enfrentadas e não respeitadas. Ao afrontar o medo e se entregar de vez aos encantos que reconhecem em seus parceiros, os amantes experimentam um lento e progressivo decréscimo desse sentimento. O decréscimo do medo faz que as palpitações desapareçam e o sono e o apetite, sempre perturbados pela paixão, voltem ao normal. Por vezes, as pessoas se questionam acerca do fim da paixão, como se isso fosse indício do fim de algo maravilhoso, extraordinário. É como se a graça do encantamento amoroso tivesse terminado. O que terminou foi o medo! Sobra o principal: o prazer da companhia, a paz e o aconchego de um convívio harmônico. Os que pensam que o que resta depois do fim do medo é pouco confundiram o amor com uma aventura rica em adrenalina.

Amor é paz e não aventura. Os casais que gostam de aventura podem, juntos, programar atividades mais emocionantes. O amor adulto, em última análise, é a repetição da sensação de paz e aconchego que, um dia, sentimos no colo de nossa mãe. A aventura estava em descer do colo e ir explorar o entorno. O amor é o porto seguro, o mesmo para onde a criança corre quando se vê em apuros. Os que entendem que essa é a natureza do amor e não esperam desse sentimento o que ele não pode dar sentem-se extremamente felizes e realizados com esse tipo de encontro. Quando não ocorrem divergências graves ao longo dos anos de convívio – risco que é atenuado pelos diálogos sinceros e pela vontade de entender o que está, de fato, acontecendo com o parceiro –, configura-se um tipo de relacionamento que pode perfeitamente durar com igual qualidade até "que a morte os separe". Em resumo, depois da tormenta dramática que temos vivido em decorrência da mudança de paradigma nas escolhas sentimentais, voltaremos a contemplar elos conjugais que durarão por tempo indeterminado. Não concordo, pois, com o poeta, que diz que o amor "não é eterno, posto que é chama".

Nessa fase madura da vida, resolvi abordar com mais vigor o tema da sexualidade. O objetivo era finalmente me fazer entender quanto a esse aspecto do meu trabalho, objeto primeiro dos meus estudos e publicações. Não posso dizer que tenha sido bem-sucedido por completo nesse sentido, mas estou satisfeito com o que escrevi. Espero que, mais adiante, um número maior de pessoas entenda minhas observações; sei que são difíceis de ser "processadas" porque diferem do senso comum e dos paradigmas que nos ensinaram. A questão sexual pode ser tratada de duas maneiras: uma delas diz respeito às trocas eróticas entre parceiros; a outra, em que se pensa sobre o assunto de forma mais ampla e genérica, tenta entender o fenômeno do erotismo como um todo, suas conexões com outras emoções e seu impacto social.

Creio que a maioria das pessoas está satisfeita com o que sabe quanto ao primeiro aspecto. É fato que a vida íntima da maioria dos casais avançou muito com a diminuição de alguns dos preconceitos que reinavam, de modo que as práticas conjugais deixaram de ser tão diferentes daquelas exercidas em condições mais "vulgares". O sexo oral tornou-se comum desde a adolescência e os casais aprenderam que o orgasmo clitoridiano não é hierarquicamente inferior ao vaginal – além de ser o atingido com mais frequência. Os parceiros hoje apimentam suas relações com fantasias, filmes eróticos, cenários diferentes etc. A diferença entre homens e mulheres fica cada vez mais clara, ou seja, os casais sabem que, caso o prazer não seja simultâneo, o ideal é que as mulheres o alcancem antes dos homens, pois para elas é mais fácil dar continuidade ao ato depois do orgasmo – há sempre alguma excitação residual, ao contrário do que acontece com eles. Poucos contestam o fato de os homens serem mais visuais do que as mulheres, sendo ambos bastante sensíveis aos estímulos tácteis (talvez elas um pouco mais do que eles).

Porém, quando falo em excitação e desejo como processos diferentes, a coisa já começa a complicar. Lembro-me da minha primeira participação no "Café Filosófico" da TV Cultura de São Paulo, em 2005, na época com a curadoria de Renato Janine Ribeiro. Era para eu falar só de sexualidade, mas alguém perguntou sobre a diferença na conduta sexual das mulheres, sendo umas mais disponíveis que outras em seus relacionamentos conjugais. Essa pergunta colateral se transformou na parte principal do programa na hora da edição, pois falava das diferenças de procedimento quanto ao sexo entre as mulheres mais generosas e as mais egoístas. Isso mostrava que o interesse maior era mesmo relacionado com a prática sexual, na qual as mulheres generosas se dedicam a satisfazer seus parceiros – e, ao fazê-lo, se excitam a ponto de também se realizar. As egoístas, que não apreciam dar coisa nenhuma, nesse aspecto são mais travadas; sua sexualidade está, mais que tudo, a serviço de dominar, humilhar e rebaixar o parceiro. Apesar de não serem muito voltadas para o ato sexual, gostam de se fazer atraentes. Como eu já disse, provocar e não se entregar é algo bastante agressivo.

Gikovate além do divã
Flávio Gikovate

A verdade é que o tema ganhou dimensões enormes na minha mente, posto que o desejo é ativo, masculino, e implica ação na direção do outro; excitação é algo mais passivo, talvez mais feminino, e implica forte sensação para dentro de si mesmo. Colocar o desejo como o tema fundamental do erotismo, como fizeram os pioneiros do estudo da psique humana ao longo da primeira metade do século XX, é enfatizar, como já escrevi antes, o papel masculino. É uma forma machista de entender a sexualidade e a condição humana. Isso precisa mudar, até porque, em nome do desejo, inúmeros acontecimentos duvidosos têm sido gerados. Os homens desejam as mulheres e elas desejam os adornos que as fazem mais atraentes aos homens. Nada poderia servir melhor ao consumismo. Essa tem sido a tônica dos últimos anos e, como escreverei no último capítulo, acho que está com os dias contados. De todo modo, o reinado do desejo corresponde a um padrão de comportamento conservador, elitista e aristocrático: privilegia umas poucas mulheres mais belas, uns poucos homens mais ágeis, dotados de inteligência ou de algum dom especial, deixando à margem a grande maioria das pessoas.

O sexo, em seu fundamento biológico original, tem que ver com a reprodução e não com o aconchego e com a ternura. É fonte de prazer talvez até para estimular a cópula, condição necessária para a reprodução e perpetuação das espécies. O prazer, porém, é pessoal, individual. Mesmo na troca de carícias mais românticas, na hora do orgasmo ou da ejaculação a maioria das pessoas fecha os olhos. As sensações subjetivas fortes, como é o caso das dores e da excitação sexual, nos impulsionam para dentro de nós mesmos. É um momento de extrema solidão! Ao prazer intenso se segue a abertura dos olhos, condição em que o contexto é bem diferente quando o parceiro é também objeto do amor ou alguém com quem se tem menos intimidade. No segundo caso, o clima de solidão tende a se acentuar e a incomodar. No caso do "reencontro" romântico, trata-se de um momento maravilhoso. Daí o fato, inquestionável, de que sexo e amor, mesmo sendo diferentes, combinam muito bem. Isso foi dito pela primeira vez, ainda nos anos 1930, por Theodor Reik no livro *On love and lust*. Na obra, ele comparava a associação entre sexo e amor com a de uísque e gelo: coisas diferentes, mas que vão muito bem juntas. Eu o parafraseei, num dos meus artigos para os jovens leitores da revista *Capricho*, em 1977, dizendo que sexo e amor são como arroz e feijão.

O caráter solitário, individual, do sexo durante a infância é indiscutível. O que distingue minha opinião daquela da maioria dos estudiosos é que, avaliando o sexo com autonomia, o que desperta o desejo em cada homem é uma gama enorme de mulheres, reais ou virtuais; ou seja, o caráter autoerótico, mesmo na fase adulta, parece se manter, pois o desejo é ainda indiscriminado. As mulheres também gostam de se arrumar e de chamar a atenção de um grande número de homens. É fato que elas são mais seletivas, ao passo que eles olham para toda e qualquer mulher bonita independentemente de sua condição socioeconômica ou intelectual. Nenhum desses fatos condiz com a ideia de que o sexo seja um importante fator de relações interpessoais, um elo verdadeiro capaz de gerar intimidade entre humanos.

A situação que descrevi para o mundo heterossexual é similar ao que acontece no plano da homossexualidade. Os homens, mais visuais e menos discriminados que as mulheres, não levam em conta outros aspectos senão os da aparência física para fins do desejo. As mulheres são mais exigentes, mas também se interessam por uma gama de possibilidades eróticas quando não está em jogo a questão sentimental. Outro fato que gosto de ressaltar é que a fronteira entre homo e heterossexualidade sempre foi muito mais frouxa do que se costuma pensar. Na infância, a troca de carícias é indiscriminada; na minha geração, os meninos, que só se relacionavam socialmente com os colegas devido à enorme discrepância de interesses e atividades entre os gêneros, trocavam carícias eróticas entre si com a maior naturalidade e apenas para satisfazer curiosidades e tentar imitar os adultos. A partir da adolescência, passava a ser terminantemente proibido encostar em outro rapaz, posto que aí o preconceito e os paradigmas sociais já estavam em vigor, separando de modo definitivo o universo heterossexual do homossexual. Porém, a fronteira é entreaberta por frestas: nas cadeias, nos navios mercantes, nos locais em que não existem mulheres a troca erótica entre homens deixa de ser tão imperdoável. Porém, se o marinheiro desembarcar no porto e buscar intimidade com outro homem, será tachado de *gay*.

Muitas moças trocam carícias eróticas com as amigas durante a puberdade e a adolescência. Têm mais intimidade física que os rapazes e nem por isso são tidas como lésbicas. Os preconceitos a respeito das mulheres são menos severos, de modo que uma mulher pode ser casada com outra e depois se apaixonar por um homem com mais frequência e facilidade do que acontece entre eles. Hoje, existem outros aspectos curiosos que mostram como é ridículo manter qualquer tipo de discriminação ou preconceito. O mais relevante é o dos travestis, que tornam o seu corpo feminino mas sexualmente continuam homens. Eles despertam enorme fascínio em um bom número de rapazes, fazem sucesso nos vídeos eróticos e são procurados por aqueles que levam uma vida dita heterossexual. Estes, em geral, buscam os travestis no intuito de ser penetrados, experimentando os prazeres que isso proporciona não apenas aos que se declaram homossexuais.

Ou seja, se quisermos deixar de lado as teorias, os fatos mostram que, do ponto de vista sexual, não somos regidos por uma real fronteira. Esta, quando existe, foi elaborada à base de preconceitos e acaba sendo respeitada por quase todos os que "habitam" ambos os lados desse "muro" semelhante ao que existia em Berlim até 1989. Porém, trata-se de um preconceito e não de um fato. As pessoas não nascem desse ou daquele jeito. Nascemos portadores de um instinto sexual e as circunstâncias e os paradigmas culturais é que definem a conduta de cada um. Não raro, para os menos preconceituosos, o principal fator de definição da parceria sexual deriva do encantamento amoroso. Esse talvez seja o melhor caminho para a realização de ambos os anseios. Foi partindo dessas ideias que escrevi meus dois livros mais recentes sobre o assunto – *Sexo* e, um ano depois, *Sexualidade sem fronteiras*. Ainda que eles não tenham tido a receptividade com que sonhei, deram-me muita alegria e satisfação.

Depois de ter me aventurado novamente no terreno adverso da sexualidade, voltei-me para outra área: contar como atuo e as principais influências que sofri. Gravei um curso sobre psicoterapia breve, nessa abordagem eclética e distante de qualquer dogmatismo que tem caracterizado meu trabalho. São 20 aulas de uma hora de duração cada uma, dirigidas a profissionais da área. Estão disponíveis no meu site e têm tido boa procura.

Transfiro, sem esconder nada, o que absorvi como experiência e informação ao longo desse meio século de atividade como psicoterapeuta. Faço uma exposição inicial de como cheguei a essa forma de trabalhar, algo um tanto parecido com as primeiras páginas deste livro, e depois descrevo as bases teóricas que consegui formular ao longo do trabalho prático – ideias sustentadas em fatos, conforme os observei. Em seguida, mostro como atuo nos casos mais frequentes que chegam ao profissional da minha área. Acho que os vídeos descrevem, de forma bastante detalhada, o modo como encaro cada um desses problemas, todos eles próprios das pessoas chamadas "normais". Por opção, não me dediquei às patologias mais sérias da área na qual atuo.

A equipe da produtora que gravou essas videoaulas acabou se entusiasmando com alguns aspectos desenvolvidos ao longo do curso. O que mais lhes chamou a atenção foi o tema do amor; então, decidiram convidar-me para participar de outro projeto em vídeo, denominado +amor. Foram três dias de gravação em um local lindo nas montanhas de Santo Antônio dos Pinhais (SP), e redundaram num material que se transformou em oito capítulos de meia hora para ser comercializados em vídeo ou vendidos a canais de TV fechada. O projeto ficou belíssimo e penso que poderá agradar a um bom número de pessoas. Esses projetos alternativos sempre encontram eco em mim, posto que sou sensível ao fato de as novas gerações apreciarem esse tipo de comunicação.

Por falar em vídeo, não posso deixar de mencionar mais um desses momentos pitorescos da minha história profissional. Num domingo do início de 2010, recebi um telefonema do meu querido amigo Silvio de Abreu, renomado escritor de novelas e autor de inúmeros sucessos marcantes nessa que é a área mais importante da Rede Globo. Ele estava preparando o roteiro de *Passione*, novela em que um dos personagens tinha fixações eróticas ligadas a algo de que se envergonhava e o levava a passar horas diante do computador observando vídeos relacionados com suas "taras". Esse personagem consultaria um psicoterapeuta, e é aí que eu entro na história: o Silvio convidou-me para fazer "eu mesmo" na novela. Fiquei num dilema danado, pois esse é um tipo de convite que não se pode aceitar e muito menos recusar.

Acabei aceitando, entre outras razões em decorrência da sólida amizade que nos une há mais de 30 anos. Colaborei na elaboração das falas que correspondiam às "sessões" de terapia que tratavam de assuntos relativos à sexualidade humana e sofri muito para fazer "eu mesmo" como personagem. Descobri que não tenho a menor vocação para ator; não consegui sequer decorar direito os pequenos textos que eu mesmo ajudara a escrever. Não posso negar que foi uma aventura fascinante essa de forjar um trabalho psicoterapêutico de poucos minutos de duração numa novela de audiência máxima no horário nobre da TV brasileira.

Depois, influenciado por uma palestra desafiante sobre a dificuldade de mudar hábitos nocivos, persistentes até em muitos profissionais de saúde, decidi escrever *Mudar – Caminhos para a transformação verdadeira*, livro que figura entre os mais relevantes e originais e foi até hoje meu maior sucesso de vendas. Nessa obra acerca das mudanças, minha ideia inicial era tratar dos hábitos, compulsões e vícios, mostrando que as compulsões são mais difíceis de ser alteradas porque, além de corresponderem a roteiros "pavimentados" e com forte tendência à repetição em nosso sistema nervoso, ainda promovem algum tipo de alívio à ansiedade ou à depressão. Assim, roer as unhas alivia a ansiedade, assim como arrancar cabelos – tricotilomania – ou comer demais mesmo sem fome. Se os hábitos já são difíceis de mudar, que dizer das compulsões e principalmente dos vícios nos quais os reforços derivam de benefícios imediatos? Se nas compulsões há alívio de tensões (prazeres negativos), nos vícios há recompensas maiores (prazeres positivos) ligados ao bem-estar, por vezes um tanto efêmero. No caso dos vícios, a "fatura" costuma vir bem mais tarde, de modo que é preciso muita maturidade para abrir mão de benefícios imediatos em nome de prejuízos futuros.

Insisto, tanto no curso sobre psicoterapia breve como em *Mudar*, no fato de que entender as causas que levam uma pessoa a ser de dada maneira ou a agir dentro de padrões inadequados e geradores de sofrimento é extremamente importante, mas não o bastante para desencadear o processo de mudança. São necessárias consciência e clareza, por parte de profissionais e pacientes, de que as mudanças derivam de ações bem-sucedidas e dependem, além da compreensão dos mecanismos que influem no comportamento, da montagem e execução de um plano estratégico de mudança. Tal plano deve ser prático, implicando ações concretas que vão das mais simples às mais complexas e precisam ser cumpridas lenta, firme e progressivamente. Conhecer as causas é essencial para a montagem da estratégia, mas a transformação depende mesmo é da realização das ações estipuladas seguindo o plano elaborado para aquele caso específico.

Com o andar da escrita de *Mudar*, como me ocorre com frequência, surgiram dois temas que me pareceram relevantes. Um deles diz respeito à minha disposição de substituir a ideia de inconsciente freudiano por outro nível de consciência, à qual chamei de "consciência maior" – e muitas vezes opera em oposição à "consciência oficial", essa que nos ensinaram a ter e a utilizar. A consciência maior seria o depositário dos nossos reais anseios, convicções e emoções. Estes nem sempre estão de acordo com o que se deveria pensar ou sentir, mas nem por isso deixam de existir e nem sempre se tornam inconscientes. Por vezes sim, e só quando o que de fato pensamos nos incomoda demais. Graças à própria psicanálise, estamos cada vez mais livres para pensar coisas "inaceitáveis", tais como não gostar do pai, da mãe ou de um filho, sentir inveja, desejar a mulher do próximo e assim por diante. Do meu ponto de vista, por força dessa liberdade, desaparece o inconsciente como depositário de tudo que em nós é verdadeiro, mas inaceitável. Hoje, quase tudo é aceitável dentro de nós mesmos, embora, socialmente, tendamos a nos comportar segundo determinados paradigmas e crenças oficiais.

O outro aspecto que passou a ocupar um espaço importante em minhas reflexões ao longo da escrita do livro foi o *bullying*. De uns anos para cá, houve uma grande mudança em relação ao tema. O assunto foi negligenciado por muito tempo, sobretudo nos casos em que os meninos mais delicados eram objeto de abuso moral ou mesmo de violência física por serem menos competentes para se defender e reagir no nível da ofensa ou agressão que sofriam. Chegavam em casa chorando e os pais ainda gritavam com eles, exigindo que voltassem ao local onde haviam sido agredidos e tratassem de revidar à altura. Demandavam deles exatamente o que eles menos sabiam fazer! Se já estavam se sentindo diminuídos e humilhados perante os outros meninos, ficavam pior ainda depois de desapontarem os pais. Eram os "errados", os que tinham de se emendar. O comportamento das mães era o mesmo dos pais: menino não chora, menino não leva desaforo para casa, menino precisa ser agressivo e saber reagir. É o cúmulo da contradição, ao menos em aparência, pois muitas dessas mesmas mulheres viviam se queixando das grosserias e indelicadezas dos maridos.

A contradição se desfaz se pensarmos que um dos aspectos fundamentais da educação dos meninos era – e em muitas casas ainda é – o pavor de que eles se tornassem homossexuais. Os cuidados para cultivar até mesmo os maus hábitos dos homens tradicionais tinham por finalidade minimizar esse risco, tido como desastroso e, pelo jeito, fácil de acontecer. Assim, os meninos tinham uma educação na qual se procurava evitar, com veemência e vigor, o encaminhamento homossexual, impondo-se a eles um padrão de conduta grosseiro e violento que acabou sendo visto como sinônimo de virilidade. O mais curioso é que nunca houve esse tipo de preocupação com as meninas. Nunca se achou que elas deveriam evitar qualquer atividade masculina a fim de não se tornarem lésbicas. Os meninos não podiam brincar com bonecas, mas as meninas podiam brincar com os meninos porque se achava que na puberdade tudo conspiraria a favor de sua feminilidade, o que em geral acontecia. No caso delas, os temores surgiam na puberdade e no início da adolescência, estando relacionados com os perigos do descontrole erótico e das gestações indesejadas.

Hoje, no entanto, em vez de "criminalizar" o menino que sofre *bullying*, passou-se a censurar aquele que bate ou ofende moralmente o mais delicado ou o mais fraco. Esse é hoje o padrão de comportamento das escolas e também das famílias. Finalmente um menino pode ser delicado sem ser discriminado pelos colegas nem pelos familiares. Aliás, é possível que a própria discriminação típica de antigamente – na qual o menino se via criticado por ser mais sensível e aprendia que aquilo era indício de baixa virilidade – tenha sido importante no encaminhamento homossexual de muitos moços mais delicados e bacanas: cresciam com raiva dos meninos e dos pais que os humilhavam. Sempre penso na associação entre sexo e agressividade – raiva – e suponho que crescer inseguro acerca da própria virilidade e com raiva das figuras masculinas contribua para que o que mais se temia venha de fato a acontecer. São as tais profecias que se autorrealizam.

Considero a censura aos meninos agressivos e maldosos, que agem assim contra os mais sensíveis, um dos mais importantes avanços contemporâneos, comparável com o que aconteceu, há 20 anos, com a introdução do "ficar". Não sei ao certo onde se iniciam essas ondas de mudança, mas algumas são extremamente benéficas. Se certas modas não têm nada de boas, constituindo mesmo a pura expressão do interesse comercial, outras, como é o caso do *bullying*, podem contribuir para que a vida em sociedade tome novos e melhores rumos.

Não posso terminar a descrição dessa ótima fase da minha vida profissional sem mencionar meu programa na rádio CBN. Trata-se do evento de divulgação mais importante de que participei ao longo da vida. O programa já dura oito anos; é gravado com a presença ativa de uma plateia de cerca de 200 pessoas, tendo uma hora de duração e indo ao ar todo domingo às 21h, em rede nacional. *No divã do Gikovate*, que ganhou o prestigiado prêmio de melhor programa de variedades da Associação Paulista de Críticos de Arte (APCA) em 2012, vive de perguntas livres, sem censura, e nele tudo acontece de improviso. As perguntas tratam de temas relevantes à alma humana e eu respondo, na medida do meu conhecimento, a todas elas de forma livre. O espaço privilegiado que me foi dado por Mariza Tavares, diretora nacional de jornalismo da CBN, tem tido ótima repercussão e ajudado a muita gente.

Desde os anos 1980 eu alimentava o sonho de fazer um programa de rádio, por achar que esse era o veículo ideal para questões de comportamento, posto que os que perguntam não precisam mostrar o rosto e os que ouvem não se distraem com as imagens. O sonho começou quando participei, em Nova York, da gravação de um programa da dra. Ruth Westheimer, famosa por ser pioneira em programas sobre sexo no rádio. Depois que escrevi o prefácio à edição brasileira do seu livro – *Sexo para uma vida melhor* –, ela me convidou para ir ao seu programa. Fiquei encantado com seu senso de humor, com sua agilidade e coragem para tratar do assunto, e passei a sonhar em um dia fazer um programa parecido com aquele. Mesmo gravando na presença de muita gente, noto com satisfação que o clima de seriedade e descontração que consigo imprimir ao programa, apesar das brincadeiras e de certa leveza, tem criado condições para que as pessoas se expressem com total liberdade. Penso que as redes sociais também vêm contribuindo para que os indivíduos falem de si com mais espontaneidade mesmo diante de uma plateia. É sabido que, hoje, a distância entre o privado e o público é pequena, o que cria condições para o compartilhamento da intimidade com muito menos inibição.

O contato com o grande público, a quantidade de e-mails que recebo toda semana, o teatro sempre lotado, tudo isso me tem sido fonte de enorme satisfação e aprendizado. Espero ter energia e disposição para dar continuidade a essa atividade de utilidade social imensa, posto que alcanço pessoas de todas as classes sociais, de todos os cantos do Brasil e de outros países de língua portuguesa.

ALGUMAS PROJEÇÕES PARA O FUTURO

Em ciência, uma boa teoria é aquela que permite que se façam previsões para futuros acontecimentos. Não sei se isso é válido para a psicologia, em que interferem tantas outras variáveis – culturais, tecnológicas e até mesmo de caráter aleatório –, de modo que a margem de erro talvez seja enorme. Ninguém podia prever, há 30 anos, o impacto de algo que ainda não existia, como o fenômeno do "ficar" e o atual combate ao *bullying*. Em ambos os casos, e como já aconteceu com inúmeros assuntos, não se consegue antever com facilidade todos os seus desdobramentos. Farei aqui algumas previsões tentando especular sobre as consequências do que tenho observado ao longo dessas décadas, sempre imaginando que algum fato novo e essencial poderá alterar de forma radical a rota que está se delineando.

O primeiro desdobramento que antevejo, já baseado em fatos que acompanho, diz respeito à diminuição da importância do sexo e da sexualidade em nossa vida. É curioso falar dessa forma numa época em que o tema ainda está fervilhando, mas é justamente por isso que acho que não irá longe. O sexo sempre foi objeto de extraordinária repressão. Sempre fez parte dos assuntos proibidos, ficando restrito a determinadas circunstâncias ligadas à estabilidade das organizações familiares e à reprodução. O sexo, enquanto proibido, era muito mais interessante, por exemplo, para as crianças. Como já escrevi, minha juventude foi carregada de assuntos sexuais proibidos, vividos e conversados sempre em segredo. Em seguida, veio a fase da educação sexual nas escolas. Hoje, as crianças têm condições de saber por si mesmas tudo que desejam sobre o assunto. Adolescentes se estimulam livremente e à exaustão em inúmeros sites pornográficos na internet.

O tema vai ganhando tamanha banalidade e a oferta de imagens eróticas é tal que os moços de hoje estão menos interessados em procurar aventuras reais. Penso que o futuro privilegiará as vivências autoeróticas ligadas à masturbação e o sexo casual será cada vez menos praticado; hoje tão fácil, ele tende a ficar desinteressante. O exibicionismo das moças já não impacta tanto os rapazes, uma vez que o que eles observam no mundo virtual é mais estimulante. Será muito difícil o mundo real competir com a fartura e a riqueza de detalhes encontradas com facilidade no mundo virtual. As proibições sempre aumentaram o desejo, de modo que é legítimo supor que o fim delas provoque uma diminuição do ímpeto, sobretudo nos mais jovens. Os mais velhos, os que ainda são do tempo da proibição, continuarão fascinados pelo assunto.

Gikovate além do divã
Flávio Gikovate

Quais são os desdobramentos da diminuição da importância do sexo e do erotismo na vida das pessoas? É difícil prever, mas penso que ela no mínimo alterará de forma drástica o rumo do consumismo. Os objetos de adorno, usados para chamar a atenção de eventuais parceiros eróticos, tenderão a ser consumidos de forma mais moderada. Mas isso, por si só, não implica uma alteração radical do sistema, posto que os anseios podem migrar para outras áreas. Existe o desejo natural, em boa parte ligado à sexualidade; e existem também os desejos "fabricados" pela cultura, ligados aos novos bens de consumo que acabam virando necessidade. Muitos desses objetos também estão a serviço de definir a condição socioeconômica das pessoas, de modo que rapidamente podem se transformar em novas formas de expressão da vaidade humana.

Ainda assim, em virtude de outros fatores que descreverei adiante, penso que o consumismo entrará em queda, o que constituirá um grande e complexo golpe para o capitalismo – sistema fundado sobre esse fato. O consumismo ganhou força com os movimentos de libertação sexual nos anos 1960, justamente quando seus teóricos imaginavam o contrário. O sonho daqueles tempos se realizará em breve graças aos exageros do próprio consumismo e da emancipação sexual que conduziu à atual superexposição erótica. É curioso notar que a luta contra o consumismo levou a uma exacerbação do processo, podendo a exacerbação do consumismo levar justamente à sua diminuição.

Como afirmei ao longo das páginas dedicadas ao amor, não vejo espaço para relacionamentos afetivos que não sejam baseados em grandes afinidades de caráter, temperamento, gostos e interesses. As concessões necessárias à sobrevivência das relações entre pessoas muito diferentes não fazem parte da mentalidade da grande maioria dos jovens. Muitos dos mais velhos ainda avaliam a capacidade de conceder como virtude, mas esse ponto de vista não é compartilhado pelos moços, mais acostumados à ideia de respeito pelas diferenças do que às concessões. O avanço tecnológico tem criado condições propícias para que nos orientemos mais pela individualidade, o que representa, a meu ver, grande avanço na direção da maturidade e independência. Num mundo mais individualista, as concessões se tornam problemáticas, de modo que o convívio íntimo entre os indivíduos só poderá existir se o respeito entre eles for maior.

O respeito pelas diferenças é uma grande virtude, mas não é o caso de ser exercido de modo intensivo e contínuo no convívio com a pessoa escolhida para partilhar planos, projetos e sonhos. Mais razoável seria a pessoa optar por viver só ou se associar a um parceiro sentimental em que predominem as afinidades – aí sim as pequenas diferenças seriam respeitadas. A propósito, como muitos dos encontros entre seres opostos são definidos em função dos ingredientes eróticos, a própria redução da importância do erotismo deverá diminuir naturalmente a tendência a esse tipo de relacionamento. Além disso, pessoas com melhor autoestima, com um bom juízo acerca de si mesmas, tendem a se encantar com criaturas mais parecidas com elas. Os progressos das práticas psicoterápicas e das teorias que poderão derivar delas, sobretudo as que privilegiam as felicidades que denominei democráticas, contribuirão para melhorar a avaliação que cada um faz de si mesmo.

O avanço da individualidade tem tornado as pessoas cada vez mais competentes para lidar com a sensação de desamparo e com o vazio interno que costuma acompanhá-la. Em consequência, surgem avanços capazes de gerar a estrutura psíquica necessária para que muitos consigam ficar bem sozinhos. Hoje, cerca de 50% da população nas grandes cidades dos países mais desenvolvidos vive assim. Um dos fatores facilitadores desse estilo de vida reside na enorme quantidade de entretenimentos eletrônicos individuais, além das facilidades derivadas do convívio virtual, pelo qual os solteiros se relacionam com inúmeros amigos a distância, o que atenua sobremaneira a sensação de solidão. O termo "solidão" também é usado com conotação negativa, pois pode estar relacionado com a dor experimentada depois de uma longa fase de convívio com alguém. A sensação dolorosa surge até mesmo quando o relacionamento não era de tão boa qualidade, posto que as pessoas se habituam àquele contexto e depois sentem falta do dia a dia, da casa, do convívio diário com os filhos etc.

No entanto, essa sensação negativa desaparece aos poucos e a pessoa sozinha vai estruturando um novo modo de viver, deleitando-se com algumas das vantagens de estar só – dormir à hora que quiser sem ter de negociar nada com um parceiro, comer ou não, comer o que desejar, arrumar a casa ou não e assim por diante. A liberdade individual também é grande benefício, sobretudo numa época em que quase não existem os estigmas sociais que rebaixavam o *status* dos solteiros. Com o passar do tempo, as pessoas podem até se encantar com sua condição, e não são raras as que não se dispõem mais ao convívio íntimo nem mesmo com um parceiro sentimental bacana. Preferem namorar a casar, vivendo em casas separadas e sem nenhuma disposição para abrir mão de sua privacidade.

Acredito que, daqui para a frente, à medida que exista espaço social digno para os que quiserem viver sós, o número daqueles que farão essa opção tenderá a crescer. Não vejo problema nenhum nisso; ao contrário, creio tratar-se de uma boa forma de viver, sobretudo para os que não querem compartilhar planos e projetos. Como nos esportes, haverá um grupo que optará pelo jogo da vida individual, enquanto outros privilegiarão o jogo coletivo, em equipes. Estes últimos, também voltados para a ideia de ter filhos e para a execução de projetos de interesse comum, buscarão parceiros afinados com eles. E mesmo esses, enquanto isso não acontecer, conseguirão ficar bem sozinhos. Por vezes, de brincadeira, digo que hoje existem três estados civis: malcasado, solteiro e bem-casado! Penso que estar solteiro é bem melhor que estar malcasado. O ditado "Antes só do que mal acompanhado" nunca foi de fato respeitado. Agora, ao que parece, finalmente passará a ser. Entre os elos sentimentais que exigem concessões e renúncias e a vida de solteiro, as pessoas tenderão a optar pela última. É a vitória da individualidade sobre os elos sentimentais de qualidade duvidosa.

Vou me referir brevemente a um dos assuntos que mais abordei ao longo deste livro: o encontro entre pessoas afins. Esses elos, de início intensos e com tendência à fusão, tenderão a ser os mais frequentes, uma vez que serão os únicos adequados à modernidade. O medo de que a felicidade sentimental atraia uma desgraça tem retardado essa óbvia adaptação aos novos tempos. Insisto mais uma vez: os homens criam condições tecnológicas que determinam mudanças relevantes em seu modo de vida. Não nos resta outra saída senão nos adaptarmos ao novo ambiente social que deriva desses avanços tecnológicos – quem não se adapta passa a se sentir "estrangeiro" no próprio planeta, desenvolvendo com mais facilidade quadros depressivos. A ideia de que as alianças terão de se basear em afinidades não é parte da criatividade de alguma mente brilhante: é o desdobramento inexorável dos avanços tecnológicos que estão em curso e impõem esse tipo de aliança por força da diminuição da capacidade de conceder; pelo fato de as mulheres terem atingido um grau de desenvolvimento que lhes confere o justo direito de compartilhar todas as decisões; pela enorme variedade de entretenimentos – estar juntos nesses momentos hoje é muito mais importante do que no passado, quando a vida em comum tinha como principal objetivo resolver os dilemas de um cotidiano complexo e bem mais sofrido.

As relações baseadas em afinidades têm encontrado esse obstáculo relacionado ao medo da felicidade e também ao pavor de que a "fusão romântica" prejudique a individualidade. Esse segundo fator deveria preocupar menos por dois motivos: a fusão com alguém muito parecido não ameaça tanto assim a individualidade, posto que a maneira de ser do parceiro é similar; e também porque ela tem prazo de validade, sendo fato que, depois de certo tempo de convívio, as diferenças, ainda que pequenas, marcam sua presença e definem o jeito de ser de cada um – que certamente será respeitado pelo parceiro.

Assim, o único grande obstáculo à evolução inexorável na direção do amor de qualidade – que tenho chamado de +amor ou mais que amor por se aproximar daquilo que chamamos de amizade – é o medo da felicidade, espécie de reflexo condicionado que acompanha a todos nós, definindo uma fobia terrível que, se não domesticada, empurra-nos para o sofrimento. Esse medo é universal e inexorável, ao menos no estágio de conhecimento em que nos encontramos. Como toda fobia, deve ser enfrentado; ao fazê-lo, percebemos que a ideia de que a felicidade aumenta o risco de que coisas ruins aconteçam é pura superstição, algo que não se sustenta na observação prática: pessoas felizes não ficam mais sujeitas a doenças nem a desastres financeiros ou de qualquer natureza; pessoas sofridas e infelizes não ficam mais protegidas de sofrimentos ou tragédias. Tudo pode acontecer, tanto de bom como de ruim, para os que estão bem e para os que estão mal.

Aqueles que enfrentam esse obstáculo interno – que em geral se esconde por trás de dificuldades externas, objetivas, que exigem esforço para ser ultrapassadas – vivem em concórdia por tempo indeterminado. Podemos voltar a pensar, pois, em casamentos que durem por toda a vida. No contexto de harmonia que se cria, não existem brigas e as divergências são respeitosas, carinhosas mesmo. Os parceiros conversam muito, compartilham sua intimidade, fazem planos para o futuro, decidem juntos como vão viver. É claro que, mesmo num ambiente assim favorável, poderão surgir diferenças de opinião difíceis de ser conciliadas. No limite, essa seria uma das poucas razões que levariam o casal a se afastar e eventualmente a se separar. Isso afora a possibilidade, menos provável, de que um dos parceiros perca a admiração pelo outro em decorrência de uma decepção mais grave. Quando há uma entrega amorosa intensa e sincera, não cabem deslealdades nem há perdão para elas.

O contexto social dos próximos anos será, a meu ver, totalmente unissex: homens e mulheres compartilharão todo tipo de atividade, tanto dentro como fora de casa. A única e inexorável diferença será quanto aos cuidados dos filhos pequenos, cabendo à mulher um papel intransferível. O fato é que o número de casais com filhos – e também o número destes – só tem decrescido por força desse encaminhamento unissex e da problemática solução a ser dada às crianças pequenas cujas mães trabalham fora. Talvez isso se resolva com mais facilidade do que penso hoje se considerarmos que o número de horas de trabalho da grande maioria das pessoas tenderá a diminuir. E isso nos leva automaticamente ao tema seguinte.

O aumento do tempo livre parece-me outra variável a ser levada em conta para aqueles que não desejam, mais uma vez, ser pegos de surpresa pelas mudanças que derivam da evolução inevitável derivada dos avanços tecnológicos. Estes estão alterando até mesmo as relações entre as coisas: a chamada "internet das coisas" corresponde a mais um passo drástico na direção da automação de diversas atividades que se tornarão independentes da ação de pessoas. O volume de trabalho humano que todo o sistema produtivo deverá despender para que a mesma qualidade de vida se sustente diminuirá. As máquinas farão a maior parte das tarefas de modo automático e interativo, condição quase paradisíaca em que ganharemos o pão com menos suor do rosto.

Podemos, sem devanear, supor que em poucas décadas as próximas gerações habitarão um mundo onde homens e mulheres terão igualdade de condições em praticamente todos os setores da existência; em que o sexo estará no devido lugar, qual seja, o de experiência prazerosa a ser vivida entre pessoas que têm alguma intimidade ou a ser praticada individualmente; em que os relacionamentos afetivos se aproximarão daquilo que chamamos de amizade, com respeito, concórdia, harmonia, carinho e intimidade; e no qual se terá mais tempo livre para usufruir daquilo que se considerar gratificante. Não se pode negar que esse "pacote" parece fazer parte do retorno ao paraíso perdido que, para muitos, poderá ocorrer em breve. A grande questão é: estamos preparados para viver com mais tempo livre?

Não convém desconsiderar a dimensão da dificuldade. Se observarmos com cuidado as atividades próprias das pessoas em férias, veremos que muitas delas não acham nada fácil encontrar um estado parecido com o que poderíamos chamar de serenidade. Ou seja, conseguir fazer tudo de que gostam devagar, sem ansiedade, usufruindo cada momento com satisfação. Muitos dos que estão em férias reproduzem a rotina rigorosa do cotidiano, impondo a si horários rígidos para os exercícios ou para os passeios que acham que devem fazer para conhecer dada região com a qual estão pouco familiarizados. Parecem precisar aproveitar com volúpia tudo que for possível. Não podem perder um minuto se estiverem numa praia, numa estação de esqui, numa cidade nova. Continuam no mesmo ritmo dos dias de trabalho, mas agora a pressão está a serviço do "usufruto" do lazer.

Outros só conseguem relaxar e se tornar um pouco mais displicentes em suas atividades usando álcool ou outras drogas, lícitas ou ilícitas. Acreditam que aproveitar as férias significa começar a beber antes do almoço, depois do qual dormem e, quando acordam, voltam a beber enquanto jogam cartas ou conversam amenidades até o jantar, depois do qual continuam com a mesma rotina de beber até ir para a cama. Ambos os casos mostram, a meu ver, como quase todos nós temos dificuldade de lidar com o tempo livre de modo tranquilo, gratificante e eventualmente produtivo. Pensando no futuro, se as pessoas trabalharem três dias por semana, quantas saberão organizar sua agenda de forma serena e rica no sentido de satisfazer seus sonhos e curiosidades? Quantas aprenderão a executar atividades que não sejam regidas pela pergunta "Para que serve isso?"? Quantas se deleitarão aprendendo a tocar um instrumento musical, lendo bons livros, aprendendo a dançar sem pretensão outra que não se entreter de modo pleno e construtivo em vez de ficar se alcoolizando pelas esquinas?

O tema é fundamental e, até certo ponto, urgente. Creio que faltam poucos anos para que seja necessário diminuir o número de dias de trabalho a fim de manter o pleno emprego numa era em que as máquinas farão, sozinhas, cada vez mais. Não tenho dúvida também de que as pessoas dificilmente continuarão a se aposentar antes do real envelhecimento, posto que não há seguridade social capaz de sustentar um número crescente de idosos com o decréscimo do contingente de contribuintes jovens. É importante levar a sério o despreparo da maioria dos indivíduos para viver um tempo em que as ambições materiais terão de diminuir – em favor do prazer intrínseco da atividade que executam –, uma vez que, trabalhando menos, eles tenderão a ganhar menos também. Aliás, a geração dos nossos filhos já é, em geral, menos remunerada do que a nossa. Não acho que isso será, por si, grave, pois o que mais incomoda as pessoas é não ter aquilo que "os outros" têm. Se for essa a vida dos seus pares, todos ficarão satisfeitos.

O problema maior é, a meu ver, que somos "programados" para correr atrás de "cenouras", perseguir objetivos relacionados com o sucesso profissional, e isso terá de ser revisto. Como viver com mais serenidade, sem perseguir com tanto afinco resultados especiais e rápidos? E sem se drogar? Essa é uma questão em aberto, à qual as pessoas, sobretudo as mais jovens, deveriam começar a se preocupar em responder.

Um dos grandes obstáculos à conquista da paz interior é a vaidade, esse componente da nossa sexualidade que produz um prazer autoerótico quando nos exibimos, chamamos a atenção e atraímos olhares de admiração. Muitas das atitudes humanas são movidas por ela de uma forma que transborda os limites do razoável. O desejo de destaque impulsiona as pessoas na direção de conquistas aristocráticas, de ser mais e melhores que os que as cercam, sempre com o objetivo de provocar o interesse alheio. Talvez no início o objetivo tenha sido erótico, ou seja, impressionar os sexualmente interessantes. Porém, o processo parece ter ganhado vida própria e o indivíduo quer avançar, progredir, conquistar mais fama e fortuna – o que, a partir de certo momento, se torna prazer em si. Ou seja, ganha-se um dinheiro do qual não se necessita, trabalha-se muito mais que o essencial, tudo sempre fora do ponto da temperança. O único objetivo passa a ser o de se destacar por se destacar. A vaidade, na prática, torna-se um vício.

É claro que nossas possibilidades de entretenimento são limitadas. Se pensarmos nos prazeres, veremos que só existem, como escrevi a respeito da felicidade, os do corpo e os de natureza intelectual. Esses terão de ser o foco daqueles que estiverem mais serenos e conscientes de que a nova era que se aproxima não é mais a do trabalho insano, da competição desvairada, do consumismo inútil. Por mais que seja essa a nossa forma de viver nos dias de hoje, definitivamente não penso que esse roteiro terá continuidade.

Acho que as mudanças previstas – em virtude do reposicionamento do sexo, da capacidade das pessoas de viver sozinhas e das relações amorosas de qualidade – provocarão enormes modificações na conduta moral das pessoas, e tudo isso implicará uma muito bem-vinda correção da rota atual, que, se não acontecer, nos levará à destruição planetária.

Flávio Gikovate

É interessante reafirmar que o individualismo crescente, assim como a maior capacidade de vivermos sós, contribui para o fim dessa dualidade trágica em que egoísmo e generosidade se perpetuam reciprocamente. O próprio avanço tecnológico, que tem criado condições para que quase todas as atividades humanas deixem rastros e registros, também fará que a integridade predomine sobre o oportunismo e os malfeitos. Tudo conspira para termos figuras humanas justas em ação na vida real, deixando de ser uma daquelas belas hipóteses que existem apenas no mundo das ideias. Nas alianças entre pessoas mais egoístas, ambas se ajudarão a evoluir ou se separarão. Se os egoístas aprenderem a ficar bem sozinhos, terão se tornado independentes e fortes, o que pode contribuir para sua evolução. Nas alianças entre dois generosos, ambos terão de aprender a receber na mesma medida em que dão, o que também implicará o avanço pretendido.

Quanto ao tema da orientação sexual, a mim não importa se a homo, a hétero ou a bissexualidade tenderá a crescer ou a decrescer. O fundamental é atenuar a sobrecarga de agressividade acoplada culturalmente à sexualidade; isso tenderá a acontecer com a alteração de postura diante das vítimas do *bullying* e também em decorrência do "ficar". Se os meninos mais delicados forem bem-aceitos e se orientarem pela homossexualidade, não o farão movidos por rancor e anseios de revanche.

Os que se orientarem na direção heterossexual não mais tenderão a ser hostis e agressivos em relação às mulheres. Já as moças estão mais bem encaminhadas nesse aspecto, até porque sobre elas pesa menos a pressão cultural associada à competência e ao desempenho nessa área. Acredito que tenderão a se encaminhar sexualmente em função do encantamento amoroso que vierem a ter. O mesmo acabará acontecendo com os rapazes que, livres dos preconceitos tradicionais, conseguirão se desvencilhar da opressão a que, em nome de ser o sexo forte, sempre estiveram submetidos.

Um último assunto, que preocupa a muitos e a mim pouco impressiona, tem que ver com o fato de os contatos humanos tornarem-se cada vez mais virtuais e não físicos, carnais. Não tenho dúvida de que a comunicação virtual só crescerá, até mesmo em função de aspectos práticos: a locomoção se tornará cada vez mais difícil tanto por terra quanto pelo ar; as reuniões entre executivos de grandes empresas acontecerão cada vez mais por meio de videoconferências. Talvez um primeiro encontro físico entre pessoas que não se conhecem e pretendem associar-se ou negociar sempre seja bem-vindo, sobretudo para atenuar desconfianças. Porém, negociações de todo tipo, reuniões entre colegas e outros eventos – incluindo cursos de graduação, pós-graduação e extensão universitária – que exigiriam a locomoção, por vezes cara, de inúmeras pessoas tornar-se-ão virtuais sempre que possível.

O mesmo raciocínio vale para o futuro das psicoterapias em geral e das conferências para discutir casos em todas as áreas da medicina. No que se refere à psicoterapia, tenho razoável experiência em tratar pacientes a distância, por Skype, inclusive alguns que nunca conheci pessoalmente. Não noto diferença de monta quanto à eficiência do trabalho quando os encontros se dão ao vivo ou pela via virtual. Talvez do ponto de vista psicanalítico, para facilitar a transferência, os encontros presenciais sejam absolutamente necessários. Talvez, porque tenho ouvido muitas histórias de amor em que as pessoas se apaixonam de forma intensa em convívios exclusivamente mediados pelo computador.

Do ponto de vista das relações afetivas, a possibilidade de encontro entre pessoas afins parece-me bem mais fácil no mundo virtual do que no real. Nos grupos de "amigos" das redes sociais, nos sites em que se buscam parceiros sentimentais, a possibilidade de escolher claramente em função das semelhanças é bem maior. É fato que muita gente pode mentir no mundo virtual, mas isso também acontece na vida real. Os encontros virtuais se dão primeiro em torno de afinidades intelectuais e emocionais, sendo o elemento erótico introduzido mais tarde. Na vida real, não raro a beleza física, assim como o ingrediente sexual, tem grande peso nas escolhas, como regra induzindo mais a erros do que a acertos.

É indiscutível que os mais tímidos, os que não querem se arriscar em situações nas quais poderiam se sentir rejeitados, os que não gostam da vida noturna ligada a baladas, bares, boemia etc. são extremamente beneficiados pelo fato de poderem encontrar parceiros sem se forçar a ficar acordados até altas horas, consumindo doses maiores de álcool, levando uma vida que não lhes agrada. Acredito que a margem de erro nas madrugadas alcoolizadas é bem maior que na internet. Porém, os que ainda se interessarem pelo jogo erótico de conquistas rápidas e diretas certamente continuarão preferindo as baladas e as noitadas. Haverá espaço para todos os gostos. Essa é a principal característica, a meu ver, do mundo que se aproxima: o fim das normas rígidas de comportamento, do estado civil e do interesse por sucesso profissional. Espero que a única norma que prevaleça seja a de ordem ética, aquela que garante direitos iguais a todos os cidadãos. Aliás, direitos e deveres.

epílogo

Estas considerações finais nasceram do meu desejo de sintetizar e deixar bem claros os principais pontos que dão identidade ao meu trabalho. É fato que sempre me empenhei em divulgar as conclusões a que cheguei. Porém, isso não significa que eu seja um propagador de pensamentos consagrados elaborados por outros colegas. Divulgo meu trabalho, que é original e nem sempre está em sintonia com o "pensamento oficial" da minha área. Aliás, em psiquiatria existem inúmeros pensamentos oficiais. E, nesse contexto, o mais provável é que ainda estejamos engatinhando, trabalhando em uma ciência nova, nem sempre de maneira muito científica. Sim, porque não ouvir as vozes discordantes não é uma forma razoável de buscar o avanço de uma ciência.

Meu trabalho pode ser dividido em duas vertentes. A primeira diz respeito a observar de modo cuidadoso os fatos novos que surgem no contexto cultural em que vivo e trabalho. Depois, procuro entender se seus desdobramentos são construtivos ou destrutivos. Em virtude dessa avaliação, defendo firmemente aqueles que considero construtivos. Os fatos surgidos espontaneamente na cultura não são da autoria de ninguém, não devendo ser confundidos com aqueles que derivam de uma reflexão original e podem produzir consequências objetivas interessantes. A outra vertente, que registrarei a seguir, diz respeito a observações acerca da condição humana que fiz analisando fatos originais, muitas vezes agregando aspectos esclarecedores aos temas que nos permitem compreender melhor a mente das chamadas pessoas "normais". E, em outros casos, descrevendo rupturas mais ou menos radicais com as ideias psicanalíticas.

A primeira e mais impactante percepção à qual me dediquei foi a de que as relações afetivas baseadas em diferenças de temperamento e caráter estavam com os dias contados em virtude das novas condições de vida criadas pelo avanço tecnológico. Ela explicava o crescimento de separações conjugais ocorridas a partir dos anos 1970 em todos os países, mesmo naqueles onde o divórcio já existia havia décadas. A ideia de que as afinidades definiam um formato mais adequado aos tempos modernos derivou de vivências pessoais e da observação de um bom número de casais ao longo dos meus primeiros 15 anos de atividade terapêutica. Descrevi o que estava acontecendo e posicionei-me a favor por achar que era evolutivo. Da mesma forma, as diferenças na natureza do desejo sexual foram fruto de observações e reflexões intermediadas por filmes e livros importantes da época.

Outro fato essencial sobre o qual também me posicionei favoravelmente depois de refletir sobre seus desdobramentos foi o "ficar", intimidade sexual limitada entre pré-adolescentes e adolescentes de mesma faixa etária e classe social. Trata-se de um fator importante para a real intimidade entre rapazes e moças, além de criar condições de igualdade e tendência à iniciação sexual entre namorados que estabelecem um elo sentimental e de confiança. Difícil não perceber a diferença entre isso e a iniciação tradicional dos meninos com prostitutas. Difícil não supor que essa forma mais delicada de se iniciar influirá de modo positivo nos futuros relacionamentos.

Mais recentemente, acompanhei com entusiasmo a "criminalização" do *bullying*, inversão definitiva e extrema da postura social diante da violência entre meninos e meninas na qual os mais delicados e preocupados em não magoar acabavam sendo massacrados pelos mais grosseiros e agressivos. Estes últimos, no caso dos meninos, definiam o padrão da virilidade, o que reforçava um lado a ser diminuído nos humanos que querem conviver num contexto social mais sadio. Penso muito nos desdobramentos positivos dessas novidades; encaro-as com alegria e otimismo em relação ao futuro das novas gerações.

Registro, de modo sucinto, os principais aspectos inovadores que introduzi na maneira de pensar a condição humana. Ao colocar minhas posições como inovadoras, não estou afirmando que sejam verdadeiras ou se sustentarão ao longo dos anos vindouros. Esse não é o problema de quem está trabalhando e produzindo – só o tempo dará o veredito sobre o valor de um trabalho intelectual. Posso apenas afirmar que decidi escrever este livro, que resume a essência das minhas reflexões, porque muitas delas foram elaboradas há mais de 30 anos e ainda me satisfazem como hipóteses teóricas e como fundamento para o trabalho cotidiano. Elas também são satisfatórias para inúmeras pessoas além dos meus pacientes, ou seja, dezenas, quando não centenas, de milhares de leitores e ouvintes que me acompanham. Além disso, jamais foram contestadas por meus colegas – que, ou não tomaram conhecimento delas, ou não as acharam tão absurdas.

A primeira grande ruptura com o pensamento usual deu-se nos anos 1970, quando separei de forma radical amor de sexo, em geral tidos como ingredientes do mesmo impulso instintivo. Amor, para mim, é paz e aconchego ao lado de outra pessoa, sempre interpessoal e, ao menos em parte, prazer negativo. Sexo é inquietação agradável, sempre pessoal e prazer positivo. A separação entre sexo e amor abriu espaço para a clara associação que fiz entre sexo e agressividade.

A segunda ruptura, também drástica, diz respeito à ausência de culpa nas pessoas predominantemente egoístas. Ou seja, aquilo que Freud chamava de superego ou freio moral internalizado só existe em cerca de 50% dos indivíduos e não em quase todos, como ele propunha. Os que não sentem culpa só se comportam dentro de certos padrões por medo de represálias ou por vergonha. Os mais generosos, que correspondem à outra metade das pessoas, são ricos nesse sentimento e, por força disso, tendem a renunciar a seus legítimos direitos em favor de terceiros. Sempre me posicionei contra o egoísmo e depois também contra a generosidade compulsória que deriva de um freio moral interno rígido, não atualizado e não avalizado pela razão – uma vez que leva as pessoas a desequilibrar a balança da justiça a favor de quem, como regra, não tem direito a privilégios.

Outra discordância que considero importante tem que ver com a falta de diferenciação, no pensamento psicológico tradicional, entre desejo e excitação. Desejo é o processo ativo que leva a pessoa a tentar se aproximar e eventualmente se apropriar de algo ou alguém externo a ela. Excitação é uma inquietação erótica que se volta para dentro e provoca sensações intensas, mas não implica ir em busca de algo ou alguém. O desejo, do ponto de vista sexual, é termo masculino em essência, ao passo que a excitação, mesmo estando presente em ambos os sexos, é uma manifestação feminina. Louvar o desejo implica estar de acordo com todo tipo de consumismo e com os fundamentos da economia capitalista; implica também uma visão machista, falocêntrica da psicologia. Não é minha posição, pois acho que já é tempo de pensar no feminino com autonomia e não como o masculino "castrado" ou interditado. As próprias feministas, nos primeiros tempos, "compraram" esse ponto de vista e, em minha opinião, cometeram um grave erro ao lutar pela igualdade entre os sexos tomando por base o padrão masculino.

Flávio Gikovate

Outro pilar das minhas reflexões originais é o medo da felicidade, base de todo o pensamento supersticioso milenar. Atitudes autodestrutivas já faziam parte do arsenal de reflexões da psicanálise, mas o fato de essa tendência crescer de forma exponencial quando estamos nos sentindo muito felizes é algo que observei pela primeira vez, no final dos anos 1970, ao estudar o medo do amor, o temor que levava e ainda leva as pessoas a fugir de relacionamentos de qualidade e preferir aqueles em que as diferenças marcantes originam irritações e atritos capazes de afastar qualquer "risco" de felicidade.

Relacionar o medo da felicidade com o trauma do nascimento, como uma espécie de reflexo condicionado por ora impossível de ser desfeito, é uma hipótese que ainda me agrada e satisfaz – sobretudo porque penso no amor como tendo origem nessa mesma experiência original de fusão uterina, ruptura dramática e busca de sucedâneos daquele aconchego no colo materno e depois nos elos "adultos", nem sempre tão maduros.

Por fim, nos últimos tempos decidi deixar claro um ponto de vista que rumino há anos, relacionado com o fato de que a descrição do conteúdo do inconsciente freudiano acabou tornando-o consciente. Ou seja, por influência positiva da própria psicanálise, hoje as pessoas são mais competentes para conviver com muitos dos seus aspectos obscuros, mais lúcidas acerca de quase tudo que pensam. Assim, continuam a existir dois níveis de consciência: uma, de caráter oficial, que se comporta de acordo com as crenças e os hábitos da cultura, repetindo-os; outra, a consciência maior, que registra, armazena e utiliza aquelas convicções íntimas que nos pertencem e nem sempre compartilhamos. Ela contém também nossas fantasias nem tão secretas, nossas emoções mais bárbaras e, em geral, perfeitamente conscientes. Vez por outra somos traídos por fatos que nos mostram que há uma parte da nossa consciência maior não tão consciente. Mas não se trata obrigatoriamente de emoções das quais nos envergonhamos ou hesitamos em mostrar. São, por vezes, manifestações de sentimentos verdadeiros ou de convicções que escondemos de nós mesmos para evitar que conflitos íntimos subtraiam demais nosso sossego.

Essas são as considerações que achei por bem fazer para esclarecer os pontos de ruptura nos quais me balizei para formular um modo de pensar a condição humana – do qual se extraem os fundamentos da minha forma de atuar em psicologia. Tudo que fiz foi trabalhar muito e registrar o fruto das minhas observações. A qualidade e a importância dos resultados são algo que não me cabe avaliar.

www.gruposummus.com.br

IMPRESSO NA
sumago gráfica editorial ltda
rua itauna, 789 vila maria
02111-031 são paulo sp
tel e fax 11 **2955 5636**
sumago@sumago.com.br